漢字／古義今意

每日一字【第八輯】

自閱讀的樂趣中學習正確的文字用法，
從學生到一般讀者均可受用無窮，何樂而不為？

曾彬儒——著

晉林特印刷公司—出版

漢字古義今意　每日一字【第八輯】

自序

余四川仁壽縣人，幼承庭訓，三歲起背誦百家姓及唐詩，嘗過關吃飯，未過罰站；慈母護兒，屢遭責難；嚴父之威，可見一斑！

祖父是私塾先生，傳道、授業、解惑於農村，束脩微薄，且常斷續，家中饔飧不繼，至為清寒。祖父頗具讀書人氣概，如肯向學，來者不拒，誠「有教無類」之昇華也！

祖母讀過兩年私塾，略識之無，常為無米炊，田裡生啥吃啥，多以地瓜、豌豆、胡豆等為主要糧食；典型的賢妻良母，相夫教子，知矩達理。育有九子一女，父親排行老二。食之者眾，生之者寡，鄉語云：「兒多母苦。」然從未埋怨祖父「百無一用是書生」。

父親年少從軍，投入抗戰。余四歲隨父母來台，居家甫定，父卻積勞成疾，身罹重病，雖典當所有衣飾，仍回天乏術。辭世時，余僅七歲，下有二妹，微薄撫恤常寅吃卯糧，牽蘿補屋，家中篋盡囊空，捉襟見肘，然母親仍堅苦刻厲，放下悲傷，以刺繡枕頭、被面等女紅維持家計，一針一線中藏有多少母愛！

受父親啓蒙影響，余自幼酷愛中國文學，兒時無誤樂，惟讀古籍排遣，欲云「宅男」，余自兒時始也。

大學時期，沒錢買書，輒以投稿獲酬，俾添新籍。不數年，拙作已散見各大副刊也。畢業後，因專注工作，再者，文章是愈寫愈懼，蓋「書到用時方恨少」，故而未再「煮字」，改以涉獵典籍為主也。

退休後，以書法、繪畫自娛，與孫輩閒話間，常感渠等對成語及典故等極為陌生，遑論詳其出處。電視主播常唸白字，字幕更常誤植，與原義南轅北轍，除令人啼笑皆非外，更深以為憂。

邇來科技發達，資訊飛騰，人人電腦一部，個個手機一支，昔之筆墨，已入廢墟。嘗觀日、韓書法，習之者日眾，其意境亦愈深。中國書法乃文字優美的表徵，舉世無堪比擬，莘莘學子卻棄如敝屣，不數年，學習書法恐赴他國取經，「禮失求諸野」矣，余心有戚戚焉！

中國文字是中華文化的根源，自甲骨文以降，每字演進均為歷史軌跡，身為炎黃子孫，不能不知其然。每日一字，可瞭解祖先造字的智慧，字源的起始與變化，更可從中淺讀詩經、易經、論語、詩詞、成語典故等。

子曰：「小子何莫學夫詩？詩可以興，可以觀，可以群，可以怨；邇之事父，遠之事君，多識於鳥獸草木之名。」真乃至理名言也！何不起而行，每日讀一字？

本書以簡單的現代語言，解釋深奧難懂的古文古義，旨在提高讀者對中國文學的興趣，提昇中文程度，更冀祈勿使中華文化之精髓斷層於吾輩之手。因每字篇幅有限，只能淺談，未予深研，嗣後有機，當另闢專篇，以適進階者也！

余才疏學淺，綆短汲深，註釋引喻必有未盡之處，加之付梓匆匆，難免掛一漏萬，未臻完善之處，尚祈方家正之！

曾彬儒　謹識

行楷

甲骨文

金文

小篆

行書

甲骨文：像一隻伸出的右手，手指上方有一短橫，表示不能用手來做這件事，是個指事字。

金文：與甲骨文形義均同。

小篆：「手」變成了「又」字，表聲。

尤：楷書：由小篆字形演變而來，已無古義。

尤之簡化字與繁體字相同。

◆古義

《說文》：「尤，異也。」一曰「甚也」、「過也」，「左傳•襄公二十六年」：「公見棄也，而視之，尤。」「棄」是宋國大夫芮司徒所生之女，被丟棄之，由共姬侍女撿回、取名棄，長大後，宋平公見之，覺得美極了。「莊子•徐无鬼」：「夫子，物之尤也。」「尤」是「甚」也，夫子是物之甚者，超越物外之義。故知「尤」之本義為「異常」、「過甚」也。引申為「過失」，「論語•為政」：「多聞闕疑，慎言其餘，則寡尤。」見聞要求其多，對有疑慮者，不多言：其餘無疑慮者，亦慎言之，則可減少說話的過失。「詩經•小雅•四月」：「廢為殘賊，莫知其尤？」「廢」是習慣，「殘賊」指害人，他慣於殘害別人，難道沒人知道他的過錯、罪行？亦「怨」也，「歸咎」也，「論語•憲問」：「不怨天、不尤人。」不怨上天給的命不好，不怨別人對我不好。亦引申為「指責」，「司馬遷•報任安書」：「動而見尤。」只要一有動作，就被指責。「尤物」是指「色美」之女子。「左傳•昭公•二十八年」：「夫有尤物，足以移人，苟非德義，則必有禍。」「移人」是改變，特美之女人，足以讓人改變，如非具有道德正義之人娶她，則必有禍患！

◆今意

今之「尤」仍常用於「怨」，幾千年前，孔子就告訴我們要「不怨天、不尤人。」教化數千年，似乎沒變，「怨天尤人」者仍屢見不鮮，古人常以「君子不用於世，而不怨天，人不知己，亦不尤人。」自勉，今人能做到者，幾稀！「尤有甚者」，不被重用，則過河拆橋或倒打一耙；沒有知名度者，就找個地方鬧個事兒，博取媒體版面，這或許是今之社會的常態，實亦社會的病態也！吾人應引以為鑑，「尤其」用之教育子女，更要剴切以對，方不至偏離正道、貽笑大方，「尤物」自古即指「美女」，美女中的美女，亦是能迷惑君心，禍國民的妖女，今之「尤物」亦多用於不端莊、不正派的負面形容，「尤其」男仕們千萬別亂用！

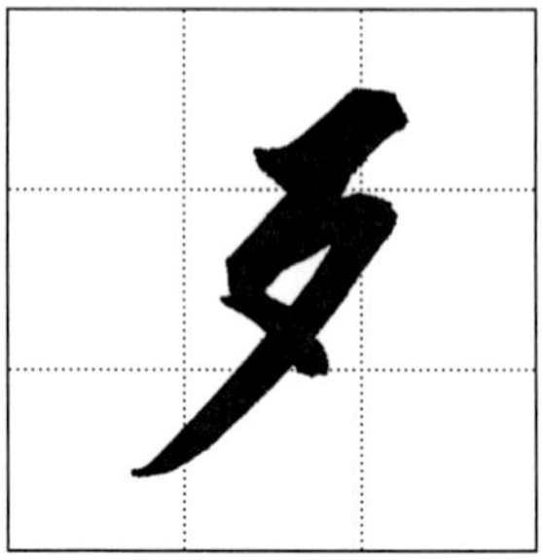
行楷

甲骨文

金文

小篆

行書

甲骨文：像一付死人的空骨架子，上端頭部有殘缺的裂紋，是殘骨之義，是個象形字。

金文：與甲骨文形義相同。

小篆：與甲骨文，金文形義均相同。

歹：楷書：由小篆字形演變而來，本為「歹」，隸書作「歺」，俗誤寫為「歹」，延用至今。

歹之簡化字與繁體字相同。

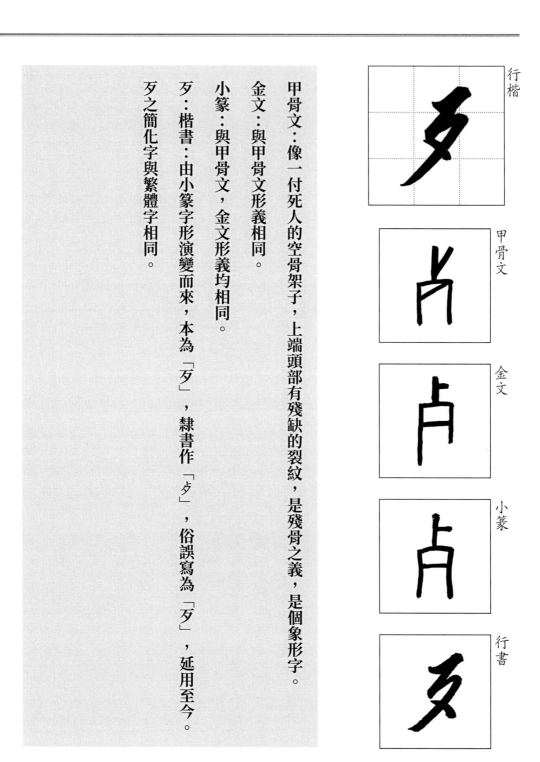

◆古義

「歹」之本字寫為「歺（音餓）」亦讀歹，《說文》：「歺，𣦼骨之殘也。」「𣦼（音列）」隸書作「列」，剔肉置骨。「歹」隸書作「歺」，殘骨也，俗寫為「歹」，後誤寫為「歹」，以訛傳訛至今，相沿成俗，訛變者遂成主流，「歹」遂沿用至今。故知「歺」、「歺」、「歹」、「歹」本為同音同義字，其本義為「殘骨」。由「殘骨」引申為「壞」，好之反也！「元曲選白仁甫。裴少俊牆頭馬上二」：「不是我敢為非作歹，他也有風情有手策。」「為非作歹」之「非」指不對，「歹」是「壞」，所作所為，不是「不對」之事，就是「壞」事！「歹」也當「汝」字講，「汝」者，「你」也；亦當「我」字用。「炎徼紀聞」：「南蠻稱人曰歹，自稱亦曰歹，猶晉之言咱，楚之言儂也。」

◆今意

「歹」之「殘骨」本義已不存，「歹」字亦以訛傳訛，訛用至今，餘「歺」、「歺」、「歹」等字均已不用，「歹」今多用於「好」之反面，即「壞」也！稱「壞人」為「歹人」、「歹徒」，有壞心壞意的稱「歹心歹意」，手段兇殘狠毒者稱「歹毒」，「好說歹說」是勸人的言語，如「好說歹說要他多讀書，他都聽不進去。」找不到好工作，嫁不到好丈夫，或婚姻不美滿，就怨天怨地，更怨自己「歹人命」。「歹」字也有正面的用法，台、閩一帶有句方言「歹竹出好筍」。比喻父母很一般，却生出「出類拔萃」的子女或父母長得很「抱歉」，兒女却儀表俊俏。至今上海人仍稱「你」為「儂」！

行楷

甲骨文

金文

小篆

行書

甲骨文：外形像一口井，井中有一橫點，表示丹砂的礦物是從井礦中得來，丹是紅顏色的礦物質，是個會意字。

金文：與甲骨文形義相同，中間的短橫變圓點。

小篆：與甲骨文、金文均同，中間的圓點又變成短橫。

丹：楷書：由小篆字形演變而來，已無井中取礦之形義。

丹之簡化字與繁體字相同。

◆古義

「丹」是赤色的丹砂。「尚書‧禹貢」：「礪、砥、砮、丹」「礪」是粗的磨刀石，「砥」是細磨石，「砮（音努）」是可製箭鏃的石碩，「丹」是水銀與硫磺的化合物，色紅，可作顏料或藥物，俗稱「朱砂」。「陶弘景」曰：「丹即朱砂也。」故知「丹」之本義為「朱砂」。「丹穴」是指山穴中出產丹砂者，「史記‧貨殖傳」：「巴蜀寡婦清，其先得丹穴而擅其利數世。」獨享其利好幾代。「丹心」是指「忠心」，「宋‧文天祥，過零丁洋」：「人生自古誰無死，留取丹心照汗青。」「丹」乃石之精者，故藥物之精者亦曰「丹」，常呈丸粒或粉末狀，如「丸散（ㄙㄢ）膏丹」。道家以烹鼎金石為外丹，吐故納新為內丹。煉丹之法稱「丹訣」或「丹方」，燒煉的藥液稱「丹液」，所用之器皿稱「丹鼎」。另以朱色塗物曰「丹」，「左傳‧莊公‧二十三年」：「秋，丹桓公楹」。秋天，在魯桓公廟前廳柱上塗了紅漆。

◆今意

古時喜歡以「丹」形容如色，如宮殿前紅色斜階稱「丹墀」，帝王的宮殿稱「丹闕」，天子的車駕稱「丹蹕」，赤皮的桂樹稱「丹桂」，以紅筆書寫囚犯罪行的刑書稱「丹書」，使用之紅筆稱「丹筆」。今除老師批改作業或學生書法使用紅筆外，餘均不宜，尤其不能以紅筆寫信給親友，那是很不禮貌的！練功、運氣或唱歌，常聽見「丹田」二字，道家以人體肚臍眼下三寸之處為「丹田」，該處是男子之精囊、女子之子宮所在。「抱朴子‧地真」則把「丹田」分上、中、下三處，臍下為「下丹田，心下為中丹田，兩眉間為上丹田。楓葉秋天變紅稱「丹楓」，今則常稱紅楓或楓紅等。

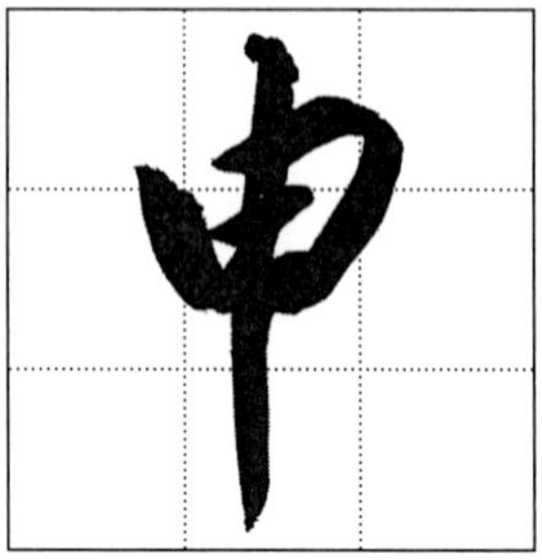

行楷

甲骨文

金文

小篆

行書

甲骨文：像雲層裡閃電時出現的電光，「申」是「電」的初文，是個象形字。

金文：與甲骨文形義相同。

小篆：一豎代表閃電，左右是雲層裡的電光。

申：楷書：由小篆字形演變而來，已無古義。

申之簡化字與繁體字相同。

◆古義

「申」是「電」的初文，兩字在上古時期是同文同義。古人以閃電為「神」之顯靈，故以「申」謂「神」，「風俗通義・怪神」：「神者，申也。」「申」之引申義漸多後，後人加「示」為「神」，加「雨」為「電」以別之，故知「申」之本義為「電光」、「閃電」。「申」亦「伸」之古字，「展也」、「直也」。引申為「重覆」、「又再」、「尚書・堯典」：「申命義叔，宅南交。」「交」是「交趾」，又再命令義叔，居住在南方的交趾，亦「致」也、「陳」也，「禮記・郊特牲」：「大夫執圭而使，所以申信也。」大夫執國君所援之信物出使他國，表示獲得君王的信任。由閃電之明引申為「明白」，「後漢書・鄧騭傳」：「罪無申證。」罪行沒有明確的証據。亦「申明」也，「三國志・魏書・高允傳」：「允事事申明，皆有條理。」高允每件事都說得清楚明白，且有條理。「申」亦借用為地支第九位，十二生肖中以「申」為猴。「申」亦上海之簡稱，因古時上海有春申江，故以「申」作別名。「申」亦「呻」也、「吟」也，若鳥之啼也。

◆今意

「申」與「電」已完全分用，「申」是十二地支之一，亦十二時辰之一，指下午三至五時。亦多於「陳述」、「說明」，如「申明」、「申述」，辯解冤枉的「申冤」、「申辯」、「申訴」，以書面向主管機關提報的「申報」、「申復」等。用於告誡、責備的「申斥」、「申飭」、「申誡」等。向上級或主管機關提出書面請求的稱「申請書」。「申告鈴」是設於法院門口，便於人民告發或自首，民國二十五年首創於上海地方法院，二十七年全國各地法院仿行之，至今仍常見心有不平者，到法院門口「按鈴申告」！今「申」與「伸」、「呻」已不互通，「伸展雙臂」、「無病呻吟」均不宜寫作「申」，老師會「申斥」的。

行楷

甲骨文

金文

小篆

行書

甲骨文：上面是個方形的城邑，是志同道合的人居住的地方，下面是一隻腳正走向它，走向正確的地方，是個會意字。

金文：上面的城邑簡化為「一」，下為「止」。

小篆：形與金文相同，是小篆的筆法。

正：楷書：由小篆筆法轉換而來。

正之簡化字與繁體字相同。

◆古義

《說文》：「正，是也，從止、一。」堅守一定的真理，亦即方直不曲謂之「正」，「易經・乾卦」：「大哉乾乎！剛健中正。」偉大充沛的陽剛之氣啊！剛強健勁，持中守正。「正」之本義為「走向對的居處」。金文時期變成「守一為真」，引申為方正之城邑為不曲之義。故「正中」亦曰「正」，「易經・乾卦」：「龍德而正中者也。」如龍般剛健的德性而立身中正的人。「尚書・洪範」：「無反無側，王道正直。」不反不亂、不偏不倚，王道公正而剛直。辨定名稱，正百事之名謂之「正名」，「論語・子路」：「必也正名乎！」必須先定名分啦！「孟子・離婁」：「義，人之正路也。」義是人應行的正路。宇宙間正大至剛之氣謂「正氣」，「文天祥・正氣歌」：「天地有正氣，雜然賦流形。」「正（音征）月」是歲之首月，指農曆一月。「正」與「征」、「政」相通。「征」指賦稅。「詩經・小雅・正月」：「今茲之正，胡然厲矣？」現在的政治，為何如此暴虐？

◆今意

方直不曲、不偏不倚謂之正，以此為基礎，其所引申之用法極廣。從小父母師長就告訴我們要「規規矩矩做人，正正當當做事。」但現在有很多打著「正字標記」的招牌，卻生產黑心食品牟利，毒害消費者的健康！或以贗品出售，年取暴利，大賺黑心錢！「正義」是講公理的，但當今社會具有「正義感」的人太少，都怕惹禍上身，路邊見有車禍受傷者亦不慷慨伸援手，怕脫不了關係！當下人際關係講究「和諧」、「服務至上」，若「正經八百」，一板一眼做事，肯定得不到好的回響。公部門若再「正顏厲色」的辦事，必招民怨！「正」現與「整」通，表示整數的意思，多用於支票、帳務等，如新台幣臺仟元整。「正」因為是五劃，故常用於選舉的計票數。

行楷

甲骨文

金文

小篆

行書

甲骨文：外形是個斧柄的形狀，表形，裡面是一個「口」字，表形亦表聲，是個會意兼形聲字。

金文：與甲骨文形義相同。

小篆：與甲骨文及金文均相同，是小篆的筆法。

可：楷書：由小篆字形轉換而來，從甲骨文至楷書幾無太大變化，在漢字中極為少有。

可之簡化字與繁體字相同。

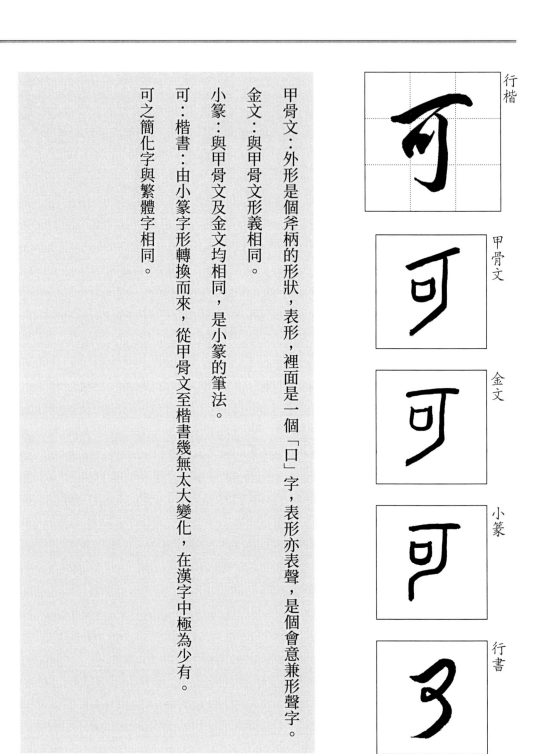

◆古義

《說文》：「可，肯也。」許可、願意也。「廣韻」：「可，許可也。」「論語・學而」：「可也，未若貧而樂，富而好禮者也。」故知「可」之本義為「許可」、「可以」。是否之對義字。「論語・為政」：「人而無信，不知其可也。」做人不講信用，怎麼可以立足處世。亦用於「可、否」之問句，「尚書・堯典」。「嚚訟可爭？」「嚚（音銀）」指說話不老實，他說話虛妄好辯，可以嗎？「可與不可」連用，「論論・八佾」：「是可忍也，孰不可忍也？」這樣的事都可容忍，還有什麼事不能容忍呢？「論語・里仁」：「父母之年，不可不知也。一則以喜，一則以懼。」父母的年齡、生日必須牢記，一則高興他們長壽，一則憂慮他們衰老。「可堪」是「那堪」，「可人」、「可兒」是指有優點而可取之人。「可汗」音（客寒），是古西域國王的稱號，後世蒙古、突厥亦稱其君曰「汗」、「可汗」，稱君之妻為「可敦」，亦稱「賀敦」。

◆今意

自古至今，「可」之字形及本義均未改變，此在漢字中極為少見，文言文中的「可否」，白話文是：「可不可以？」「允許或不准」，公文簽呈經主管批「可」後始生效力。記得以前有位同事請假，長官在其假單上批了一個大大的「可」字，休假歸來被長官痛斥，告其曰「大可乃不必也！」「大可不必」是不准假之意，給可字下了新註腳，亦令人啼笑皆非也！「可」亦用於加強語氣，如「你可寫完這本書了」、「這可好了」！事不順心時來杯「可口可樂」或「百事可樂」，或有助於調通，我喜歡「唐・杜甫・江畔獨步尋花」；「桃花一簇開無主，可愛深紅愛淺紅。」那種令人心喜鍾愛的情懷，不懂的人，不與言也！

行楷

金文

小篆

行書

金文：左邊是個「力」，表示出力勞動，右邊是個「口」，表示讚揚，是個會意字。

小篆：仍是「力」是「口」的組合，是小篆的筆法。

加：楷書：由小篆字義轉換而來，仍有古義。

加之簡化字與繁體字相同。

◆古義

「加」之本義為對勞動者的「讚揚」、「嘉許」等，後因多用於引申義而另造「嘉」字，以與之區別。《說文》：「加，語相增加也，從力、口。」「爾雅•釋詁」：「加，重也。」加於其上，重疊也，亦「陵駕」也，「論語•公冶長」：「我不欲人之加諸我也，吾亦欲無加諸人。」我不願他人侵凌我，我也不願侵凌他人。亦「增益」也。「論語•子路」：「既富矣，又何加焉？」百姓已經富走了，那還要再增加什麼法子去治理呢？「文選•古詩十九首」：「棄捐勿復道，努力加餐飯。」勸人增加餐飯，珍重身體之謂。「左傳•襄公三十一年」：「晉侯見鄭伯有加禮，厚其宴好而歸之。」晉平公接見鄭簡公，禮儀有加，宴禮亦極隆重，贈禮更加豐厚，而後送他回國。「加」亦「加升」也，「孟子•公孫丑」：「夫子加齊之卿相，得行道焉。」如夫子能晉升齊國宰相，得行夫子的大道。「加」亦算法之一，兩數相併曰「加」。

◆今意

「加」之本義為「嘉許」、「嘉勉」，後被借用為「累加」、「疊加」、「增加」等，員工想「加薪」，公務員想「加官晉爵」，送進「加護病房」的病人，自己要加油，親人朋友更要為她（他）祈禱、加油，渡過難關！成品或半成品「再加製造」，使之「更加」美好稱「加工製造」，加工外銷的工廠稱「出口加工廠」，在原定數目之外再增加百分比的數目稱「加成」，如「加成製造」、「加成錄取」。投資或博奕輸了，常常「加注」、「加碼」再賭，往往愈陷愈深。聯考、會考之前，應考的莘莘學生都要「加把勁兒」，多背句句書。「加權法」是統計學名詞「加權指數」是用於股市的專有名詞。受人的恩惠記得要加倍奉還！

行楷

甲骨文

金文

小篆

行書

甲骨文：像一把長柄水勺，上部的勺中有水，勺旁有滴落的水滴，柄上一橫表示「柄」之所在，是個象形字。

金文：由甲骨文演變而來，長柄亦可用於綁兵器。

小篆：外面是「八」，分也，表形，裡面是「弋（音亦）」，表聲，此時是個形聲字。

必：楷書：由小篆字形演變而來，已無長柄古義。

必之簡化字與繁體字相同。

◆古義

「必」是「柲（音蜜）」的初文，指長柄可與他物連結，以成「戈」、「斧」、「戟」、「水勺」等，自被借用為「分極」之後，另造「柲」為柄義。小篆時期，「必」即由八與弋組合而成，已無「柄」之古義。《說文》：「必，分極也，從八弋，弋亦聲。」畫分疆界至最邊之界也。亦用於「決定」之詞。「論語・顏淵」：「必不得已而去，於斯三者何先？」如不得已，必定要減去一個，這三件應先減去哪一件呢？「必也使無訟乎！必定要使人民沒有爭訟之事才好！「詩經・齊風・南山」：「取妻如之何？必告父母。」「取」是古「娶」字，要娶妻子該怎麼做呢？必須先稟告父母。「必」亦指「專斷」、「專執」，「論語・子罕」：「子絕四：毋意、毋必、毋固、毋我。」孔子戒絕四種乖背心理：不要有成見、不要專斷、不要固執、不要有私心。亦「果」也，「能」也。「漢書・宣帝紀贊：「信賞必罰」。

◆今意

「必」之本義不存久矣！其借用為「分極」之義今亦不用。而多用於決定詞，如「驕兵必敗」、「驕矜自滿」者必亡於心，「驕生貫養」者必有苦頭吃。「未必」則是不定詞，「唐・李商隱・月」：「初生欲缺虛惆悵，未必圖時即有情。」月缺人惆悵，月圓人相聚，亦不一定有情，反而更加惆悵！「宋・陸游・過野人家有感」：「躬耕本是英豪事，老死南陽未必非。」「不必」則是否定詞，如「不必言謝」、「不必再提」等。「何必」是可以不必，但並非完全否決，如五〇年代的一首老歌：「何必旁人來說謀？」搭飛機，每個人都有座位，「何必爭先恐後」！上學讀書有「必修科」，家庭生活需有「必需品」，雖「不必然」相關，但卻是「必然」的過程！

行楷

甲骨文

金文

小篆

行書

甲骨文：像一個「丁」形的石製供桌，早期甲骨文是「丁」的寫法。桌上一短橫是供品，桌之兩邊是支架，是個會意字。

金文：學甲骨文相同，兩邊支架變長了。

小篆：與金文相同，是小篆的筆法。

示：楷書：支架變成「小」字，已不見供桌之形。

示之簡化字與繁體字相同。

◆古義

「丅」是甲骨文初期的寫法，其本義為石製的供桌，後在桌上加一短橫表示供品，左右加了短撇表示支架。因祭祀是給天地鬼神享用，是做給人看的，故引申為「顯現」、「告知」，《說文》：「天垂象，見吉凶，所以示人也。」「徐錯」曰：「故凡宗廟社神祇皆從示。」「玉篇」：「示者，語也，以事告人曰示也。」「王師北定中原日，家祭毋忘告乃翁。」是「宋・陸游」的「示兒」詩。「史記・廉頗藺相如列傳」：「相如奉璧奏秦王，秦王大喜，傳以示美人及左右。」顯示給美人及左右大臣觀看。「左傳・文公・七年」：「叛而不討，何以示威？服而不柔，何以示懷？非威非懷，何以示德？」背叛時不予討伐，怎能顯示聲威？歸順後不加撫慰，怎能顯示關懷？不顯示聲威、不顯示關懷，怎能顯示德行呢？亦「指示」，「詩經・小雅・鹿鳴」：「示我周行。」給我指示一條大路吧！

◆今意

「示」之「供桌」本義早已不存，而其引申為「顯示」、「表示」、「指示」等義則延用至今！對人表達善意稱「示好」，對心儀的人表達仰慕之情稱「示愛」，讓大家都警覺到的「示警」，警告不能效尤的「斬首示眾」。以文書或書信懇請對方答覆的「請予示覆」或「恭請示覆」。對下屬的指導、囑咐或請別人指教的「指示」、「請示」！清楚而明白交待的「明示」。現在民意高漲，街頭經常出現表達意見的「示威羣眾」。大型活動、參觀、會場及旅遊景區等，都會有路線「示意圖」，否則將入迷宮般摸不清方向。現在仍有許多單位、團體、社區使用「告示牌」等傳達訊息。

行楷

甲骨文

金文

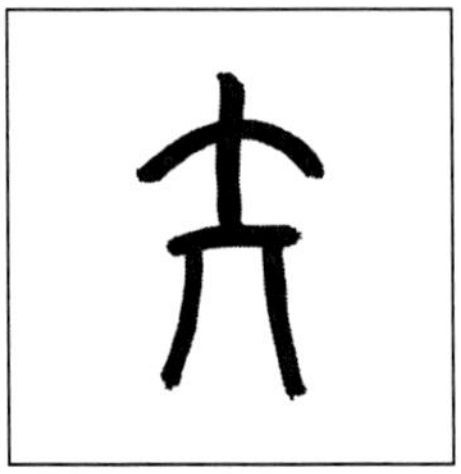

小篆

行書

甲骨文：像一隻鋒利的箭，明顯可看出有箭頭、箭身、箭尾，是個象形字。

金文：仍是一隻箭形，較甲骨文簡化些。

小篆：箭頭仍在，箭尾却起了變化。

矢：楷書：由小篆字形演變而來，已不見箭形。

矢之簡化字與繁體字相同。

◆古義

《說文》：「矢，弓弩矢也。「矢」即箭也，「尚書・顧命」：「垂之竹矢，在東房。」「垂」即「陲」也，最靠邊之處。竹製之箭陳列在東房最靠邊處。「易經・繫辭」：「弦木為弧，剡木為矢、弧矢之利、以威天下。」「弧」是弓，「剡（音眼）」指削，把彎木裝上弦而做成弓，削樹木做成箭，弓箭的功用可威服天下。故知「矢」之本義為「箭」。亦「誓」也，「爾雅・釋言」：「矢，誓也。」「矢」與「誓」古時通用。「論語・雍也」：「夫子矢之曰：予所否者，天厭之！天厭之！」孔子發誓說：我如有任何不當之行為，老天爺也要厭惡我啊！亦「陳」也，「詩經・大雅・卷阿」：「矢詩不多？」難道您陳獻的詩歌還不多嗎？亦「施」也，「詩經・大雅・江漢」：「矢其文德，洽此四國。」施行文德之政，使四方諸侯相處融洽。「矢」亦通「屎」，「史記・廉頗傳」：「頃之，三遺矢矣。」因「屎」書於文中極不文雅，「屎」又與「矢」同音，故借「矢」為「屎」，以雅其文也。

◆今意

「弓箭」已非現代武器，「射箭」只存於國際性比賽項目之一。古時畫靶射箭叫「有的放矢」，現在有些人「語不驚人死不休」，沒有事實根據的信口開河，指責別人，這叫「無的放矢」！說他「無的」，其實他是「有的」的，因為這樣他就會「紅」！「矢」今多用指「發誓」、「誓志」、「誓言」等。如戀愛中的男女經常掛嘴邊的「矢志不渝」，「如違誓言，願如此矢！」折矢表心迹之謂也！一口咬定絕不改口的「矢口不移」！古之守城以「發矢投石」禦敵，「石矢之間」是指戰爭之間。今之白話文中「矢」已不替「屎」，古時所用的「矢在弦上，不得不發。」現在多說成「如箭在弦，不得不發。」比喻因情勢所迫，騎虎難下，不得不也！

行楷

甲骨文

金文

小篆

行書

甲骨文：像一把長的柄斧，右邊是長長的柄部，左邊是朝左的斧刃，斧下的一豎代表一塊待劈的木頭，是個會意字。

金文：與甲骨文形義均同。

小篆：外形變成了「戊」字，表形，裏面變成一個「丁」字，表聲，此時變成形聲字。

成：楷書：由小篆形體演變而來，已不見斧劈木之形。

成之簡化字與繁體字相同。

◆古義

以斧劈材，故「成」之本義為「平」、「定」、「和」也。「左傳・文公・七年」：「惠伯成之，使仲舍之。」魯桓公的曾孫叔仲惠伯使他們和解，讓魯桓公的孫子襄仲放棄莒國的女子。「左傳・成公・十一年」：「秦、晉為成，將會于令狐。」「令孤」是晉國的城邑，今山西省臨猗縣，秦・晉兩國為了和好，將在令狐相會。引申為「成就」、「完畢」也。「詩經・周南・樛木」：「樂只君子，福履成之！」快樂的君子啊，福祿使您有了成就！引申為「成功」，「三國志・蜀書・諸葛亮傳」：「成敗之機，在於今日。」「成」是敗的對義字。亦有「完善」之義，「禮記・檀弓」：「是故竹不成用、瓦不成味。」以竹器陪葬，但不能完善使用，以瓦陶陪葬，但又沒有光澤。亦「變成」、「成為」之義。「禮記・學記」：「玉不琢，不成器。」玉石如不經雕琢，就不能成為珍貴的玉器。只有「肥大」、「茂盛」、「整併」、「總計」等義，亦通「誠」，「誠然」、「的確」也，「詩經・小雅・我行其野」：「成不以富。」

◆今意

「成」之反義就是「敗」，我常勸人說：「成功不是偶然的，失敗却是瞬間的！」人在「成長」的過程中，必須不斷努力，才能「成材」，將來才能「成就」一番事業，對自己的人生交出美好的「成績單」，千萬別説「成事在天」，自己要有「胸有成竹」的本錢，即使各方面都不夠「成熟」，也別做個「成事不足，敗事有餘」的添亂份了！有些人心胸寬大，樂於助人，常有「成功不必在我」的，胸襟，也有能成功，却也會失敗的，所謂成也蕭何，敗也蕭何。」如您殺牲太多，自感殺孽太重，可「放下屠刀，立地成佛。」下輩子投胎轉世，「八成」有希望「成人」，「成」之一字至今用法極廣，多加利用，必然「下筆成書，出口成章」也！

行楷

甲骨文

金文

小篆

行書

甲骨文：是一把平頭刀，上部為刀頭，下部是刀柄，古時多以此刀在奴隸或罪犯臉上刺字，是個象形字。

金文：較甲骨文頂上多了一橫，表示刻畫的痕跡。

小篆：把柄處較金文多了一橫，像護手之形。

辛：楷書：由小篆筆法轉換而來，仍有「刑刀」之古義。

辛之簡化字與繁體字相同。

◆古義

「辛」之本義為「刑刀」，後被借用為天干第八位。「爾雅・釋天」：「在庚曰上章，在辛曰重光。」太歲星在庚稱作上章，在「辛」稱重光。「在庚曰窒，在辛曰塞。」月亮在庚稱作「窒」，在「辛」稱塞。亦引申為「新」，「史記・傳書」：「言萬物之辛生也。」「辛生」即「新生」。「本草綱目・李時珍云」：「元旦立春，以葱、蒜、韭、蓼蒿、芥辛嫩之菜雜和食之，取迎、新之意謂之五辛盤。」「辛」亦辣也，蓋指椒、薑、葱、蒜等之辛辣味也。亦「辛酸」、「辛苦」、「悲痛」也。「漢・古詩十九首，今日良宴會」：「無為守窮賤，轗軻長苦辛。」「轗軻」即「坎坷」，車行不順之謂，比喻一生貧賤坎坷，不得其志也！「文選・阮籍・詠懷詩」：「感慨懷辛酸，怨毒常多苦。」

◆今意

每當吃飯，就會想起：「當知盤中飧，粒粒皆辛苦。」的「農家苦」，烈日當空，農夫「汗滴禾下土」的辛勞沒幾個在餐桌上吃飯的人能想到！「慈母育兒多艱辛。」拉拔一個孩子長大成人是很不容易的，如能成龍成鳳，過程更加「艱辛」，為人子女者，也許到了「養兒方知父母恩。」但只要懂得：「烏有反哺之義，羊有跪乳之恩。」就不錯啦！人的一生有如農夫辛苦耕耘，有的有好收成，如遇天災人禍，則是空辛苦、白忙和一場，「明・馮夢龍・醒世恆言」：「辛勤好似蠶成繭，繭老成絲蠶命休。」「燃燒自己，照亮別人。」也是一種辛勞的奉獻！「葱、薑、蒜、芥、椒」是辛辣物，却是最佳抗癌物，對身體之健康極有幫助！

行楷

甲骨文

小篆

行書

甲骨文：是兩個並肩站立的人形，相互扶持，遊樂與共，是個象形字。

小篆：左邊是人形、表形，右邊是「半」字，表聲，此時變成形聲字。

伴：楷書：由小篆字形演變而來，仍有古義。

伴之簡化字與繁體字相同。

◆古義

《說文》：「伴，並行也。」並肩同行也。「廣韻」：「伴，侶也、依也、陪也。」「伴侶」、「依靠」、「相陪」之義，「詩經・大雅・卷阿」：「伴奐爾游矣，優游爾休矣。」羣賢君子結伴悠閑地遊玩吧，從容地休息吧。「明・謝在抗・佚題」：「癡漢偏騎駿馬走，巧妻常伴拙夫眠。」是譏諷庸碌之人常佔高位，聰慧的女子常嫁個沒出息的丈夫。「清・繆良・集俗語竹枝詞」：「巧妻常伴拙夫眠，千里姻緣使線牽。」姻緣皆因前生註定，娶妻嫁人，不由己也！「唐，杜甫・聞官軍收河南河北」：「白日放歌須縱酒，青春作伴好還鄉。」是官軍收復失土，大家趁著明媚春光，結伴返鄉。「宋・李清照，如夢令」：「誰伴明窗獨生，我共影兒兩個。」我在窗下獨坐，誰來陪伴我呢？燈下只有我和我的影子兩個。

◆今意

夫妻是永遠的「伴」，所謂「少年夫妻老來伴」。甘苦與共，歷經艱辛，走過大半生，到老來仍然相互扶持、不離不棄，巧妻配拙夫，俊男娶醜婦，都要認命，用愛心經營，常聽人説，人老了要有「老伴、老本、老友。」「老伴」是排第一的。有些人中年喪偶或相離異，後半生亦需要一個「老伴」，我喜歡「羅大佑・戀曲一九九〇的詞句：「人生難得再次尋見相知的伴侶。」相知才能相守，相守就是好的伴侶」，朋友之間「結伴出遊」、「結伴聚樂」是短時間的，合資經營事業的「夥伴」亦是短暫的，只有「老伴」是天長地久的，是終生不渝的！

行楷

甲骨文

小篆

行書

甲骨文：左邊是個「豆」字，豆是高腳的器皿，上有兩點像是將食物投入，右邊是一隻手拿著投擲或敲打物，是個會意字。

小篆：左邊的高腳器皿變成「手」部，右邊的手變成「殳（意書）」，是古時沒刀刃的兵器。

投：楷書：由小篆字形轉換而來，有用手敲擊之義。

投之簡化字與繁體字相同。

◆古義

《說文》：「投，擿也。」「擿（音替）」是指挑取，當讀「擲」音時，則與「擲」同，「左傳‧公五年」：「受其書而投之，帥士而哭之。」杜洩接下季孫給的文書後，隨即投於地上，帶著手下在靈柩前哭泣。亦「棄」也，「禮記‧曲禮」：「毋反魚肉，毋投與狗骨。」不要把咬過的魚肉再放回去，不要把骨頭丟棄給狗吃，這是主人請吃飯時，應守的規矩。故知「投」之本義為「投擲」、「丟棄」。引申為「贈」也。「詩經‧衛風‧木瓜」：「投我以木桃，報之以瓊瑤。」「瓊瑤」是美玉，你贈我一個甜桃，我回報你一塊美玉。「詩經‧大雅‧抑」：「投我以桃，報之以李。」你贈送甜桃給我，我用李子回報。亦引申為「託」、「適」、「後漢書‧張儉傳」：「儉得亡命，閉迫遁走，望門投止。」是說張儉在亡命之時，看到有人家，便希望能住下安身。「投竿」語出「莊子‧外物」：「蹲」乎會稽，投竿東海。坐在會稽山上，把釣魚竿投到東海，後喻為意絕於仕途，與「投冠」、「投簪」之棄官義同。

◆今意

現在「投」之用法更為寬廣，除「投擲」、「贈送」、「託付」等本義外，尚有將票「放入」投票箱、「投河尋短」的跳入，「讀者投事」的遞送，「棄暗投明」的向往，「情投意合」的契合，「投身教職」的主動參與，「舉手投足」的肢體動作等，都能以「投」字，表達得微妙微肖，極為傳神！「投鞭斷流」語出「晉書‧苻堅載記」，比喻兵馬強盛，投鞭入江，可斷江流，今雖不切實際，但仍可引喻。今之選舉或議事表決，每人都有投票權會理財的人常有「投資」的經濟行為，以買空賣空、囤積居奇等詐騙方式獲取暴利稱「投機倒把」！工作輕鬆又不重要的稱「投閒置散」，但小心，很快就會被裁掉！

行楷

甲骨文

金文

小篆

行書

甲骨文：是一種長柄的武器，左旁有三支鋒利的戈刃，可刺可砍，右邊是一把長長的柄，是個象形字。

金文：由甲骨文演變而來，左邊的三鋒刃有些變化，右邊長柄變成「戈」字。

小篆：左邊已不像兵器，右邊仍是「戈」字。

我：楷書：由小篆字形轉換而來，已無古義。

我之簡化字與繁體字相同。

◆古義

「我」之本義是一種「武器」，自甲骨文後期，被借用為第一人稱之「自身」後，其本義即失。《說文》：「我，施身自謂也。」自己的稱呼也！「宋・朱敦儒・鷓鴣天」：「我是清都山水郎，天教懶慢帶疏狂。」「清都」是道家所說紫微上帝居住的地方，亦即天庭，「山水郎」是天庭管山管水的官，生性閒散，又帶點放蕩。「唐・羅隱・贈妓雲英」：「我未成名卿未嫁，可能俱是不如人。」自稱自己的國家為「我國」，「左傳・莊公十年」：「十年春，齊師伐我。」「我」指魯國，魯莊公十年的春天，齊國的軍隊攻打我魯國。亦用於「親之之詞」。「論語・述而」：「竊比於我老彭。」「竊」是自謙之詞，「我」是「親近」，如現代所說「我的」、「老彭」是商代的賢大夫。亦有「自私」之意，「論語・子罕」：「毋固・固我」，不固執，沒有私心。我生」是自己的行為，亦指己身之出於世，亦指生我之「母親」。

◆今意

古之「我」亦表示國家，今則以「大我」表示「國家」、「團體」，「小我」表示「自己」，如「犧牲小我，成全大我。」「我武維揚」是指國家的勢力威武發揚。古之「親近」之詞，今則用於白話文的「親熱」稱呼和比喻，如「我的寶貝」、「我的愛人」等，用於「自己」的第一人稱最為普遍，「宋・李之儀・十算子」：「我住長江頭，君住長江尾，日日思君不見君，共飲長江水。」「唐・李白・將進酒」：「天生我材必有用，千金散盡還復來。」「我行我素」是不管別人的忠言，或異樣眼光，仍然照自已平素的做法去做，多用於負面的批評，「我見猶憐」語出晉桓溫之妻南康長公主，形容女子姿色，即使同為女子，亦生愛憐之心，今則常訛用為男性對女性之詞！

行楷

甲骨文

金文

小篆

行書

甲骨文：像是在土地上堆了一座高土，人民祭拜這座高土，因其代表「土地之神」也，是個象形字。

金文：左邊是「示」，表示供桌，右邊是土，指「土地之神」，以供桌祭供品祭拜「土地之神」也。

小篆：與金文相同，是小篆的筆法。

社：楷書：由小篆字形轉換而來，仍有祭神古義。

社之簡化字與繁體字相同。

◆古義

《說文》：「社，地主也。」即土地之神也，亦稱「土地公」。「禮記・祭義」：「建國之神位，右社稷，而左宗廟。」路門外之西曰「右」，路門外之東曰「左」，修建國家的神位，祭土地之神的社稷廟要在右邊，祭祖先的宗廟要在左邊。「詩經・小雅・甫田」：「與我犧羊，以社以方。」「犧羊」是純白色作祭品的羊，「社」是土神，「方」指四方之神，和我純白色的羊，來祭祀土神和四方之神。「禮記・祭法」：王為群姓立社，曰大社。王自為立社，曰王社。諸侯為百姓立社，曰國社。諸侯自為立社，曰侯社。大夫以下，成群立社，曰置社。」「群姓」是百官以下至平民百姓。「社」指祭祀土神之社廟。「大社」是畿內的社廟，「國社」是祭祀一國之社廟。亦「區域」名，古時二十五家為一社。「社」是土神，「稷」是穀神，為天子諸侯所祭。「禮記・曲禮」：「國君死社稷。」「社稷」即國家，猶言國君殉國之謂。

◆今意

今之「社」，除古義仍存外，凡有組織、有章程的團體可稱「社」，如「合作社」、「音樂社」、「藝文社」、「登山社」等，亦有經濟商業行為的「體育用品社」、「文化出版社」、「報章雜誌社」、傳播媒體的「新聞社」等，這些都由「社友」、「社員」、「社長」等組成，近來，人民生活水準提高，開始注重休閒，於是「旅行社」如雨後春筍、蓬勃發展，報考領隊及導遊証照的，出乎預料的踴躍。人羣定居的「社區活動」也多彩多姿！報章雜誌等以自己的立場及觀點，對時事所做的評論稱「社評」、「社論」。為社會上不公不義的事物發聲，或運作某種正當活動者稱「社運人士」！

行楷

金文

小篆

行書

金文：上半部是「禾」，表示成熟的莊稼，頂部的結穗已往下彎垂，下半部是個面朝左的人，手執莊稼，是個會意字。

小篆：與金文相似，是小篆的筆法。

秀：楷書：由小篆筆法演變而來，仍有古義。

秀之簡化字與繁體字相同。

◆古義

「說文」：「秀，上諱」。「上諱」是皇上的名諱，漢光武帝的名字叫「劉秀」，當時的「許慎」作「說文解字」，不敢解釋此字故以「上諱」略過。穀之始生曰苗，吐華曰秀，成穀曰十，「詩經‧大雅‧生民」：「實發實秀，實堅實好。」禾苗茁壯，開始結穗，穀粒飽滿而又美好。「論語‧子罕」：「苗而不秀者有矣夫！秀而不實者有矣夫！禾苗長大後有不能結穗的，有能結穗而不結實的。引申為凡草開花皆得言「秀」，「詩經‧豳風‧七月」：「四月秀葽，五月鳴蜩。」「葽（音么）」是草類植物，又名「遠志」，四月遠志花開，五月蟬兒高唱。特別優異曰「秀」，「史記‧屈原賈生列傳」：「聞其秀才，召置門下。」聽說他是個優秀的人才，召請他來安置在自己門下。另頭頂無髮之禿頭者稱「秀頂」。

◆今意

「秀」今多用於「聰明」、「美麗」、「文雅」、「秀氣」、「優秀」等，如形容女子貌美賢淑的「秀外慧中」，景色幽靜美麗的「山明水秀」，聽穎文雅的「秀氣」、「秀雅」、「秀麗」等。古時對有秀異之才可為士者，即才能優秀者，稱「秀才」，到了漢朝，稱為科舉名稱之一，俗語謂：「秀才人情紙半張」，蓋因秀才多貧窮，餽贈物多以書畫詩詞為主。「秀才不出門，能知天下事」是指媒體及大眾傳播工具的無遠弗屆。「秀而不實」是只開花不結果，比喻讀書或做事半途而廢，功虧一簣！「秀場」是現代新名詞，由英語的（Show）翻譯而來，是藝術工作者表演的場所，對於「愛現」的人，或展示某物，則稱「愛秀」或「秀一下」！

行楷

甲骨文

金文

小篆

行書

甲骨文：像一隻豎起來的眼睛，奴隸在主人面前低著頭，眼睛下視，從側面看，眼睛就像豎起來的樣子，是個象形字。

金文：由甲骨文演變而來，其義相同。

臣：小篆：由金文之字形筆法化而來。

臣：楷書：與小篆相同，是楷書的筆法。

臣之簡化字與繁體字相同。

◆古義

「臣」之本義為「奴隸」，「尚書・費誓」：「馬牛其風，臣妾逋逃。」「風」是走失，「臣妾」是奴隸，古時男奴叫「臣」，女奴叫「妾」。逋（音晡）」是逃跑，牛馬走失了，男女奴隸逃跑了，後為奴僕，引申為「臣服」。《說文》：「臣，事君也，象屈服之形。」「臣子」為君王做事，屈服在君王之下。「禮記・禮運」：「故仕於公曰臣，仕於家曰僕。」在國君屬下做官的叫「臣」，在大夫屬下做官的叫「僕」。「詩經・小雅・正月」：「民之無辜，并其臣僕。」「臣僕」是「奴隸」，一旦亡國，無罪的百姓亦都變成奴隸，「庶人」亦可稱「臣」，「孟子・萬章」：「在國曰市井之臣，在野曰草莽之臣，皆謂庶人。」在國都的士人稱市井的臣子，在鄉村的士人稱草野的臣子。「禮記・玉藻」：「凡自稱，天子曰：予一人，諸侯曰：某土之守臣，上大夫曰：下臣，公子曰：臣孽。」「公子」指諸侯的庶子，即妾生的兒子。上大夫在諸侯面前自稱「下臣」，諸侯的庶子在國君面前自稱「臣孽」。

◆今意

「奴隸」之本義已不存在，古時，「臣」是君的對義字，「諸葛亮・出師表」：「臣本布衣，躬耕於南陽，……先帝不以臣卑鄙，猥自枉屈，三顧臣於草廬之中，諮臣以當世之事。」「臣」之分際至謹且明。「唐・杜甫・蜀相」：「三顧頻煩天下計，兩朝開濟老臣心。」道盡諸葛亮兩朝為「臣」的忠心。古時羣臣百官稱「臣工」。現稱「文武百官」或「公務人員」。「臣妾」指卑賤的男女，「臣庶」是官吏和人民，以及「臣下」、「臣孽」等，今已不用。競技比賽中，對輸的一方常用「俯首稱臣」形容。男士拜倒女子石榴裙下稱「臣服裙下」。古時常用「忠臣」、「奸臣」，作褒貶，今者，對國家、社會或團體有貢獻者，稱「功臣」！

行楷

甲骨文

金文

小篆

行書

甲骨文：左邊是「衣」的形象，右邊是一把刀，用刀裁剪衣服，做衣之始也，是個會意字。

金文：與甲骨文形義相同。

小篆：是小篆的對稱筆法，與甲骨文、金文形義相同。

初：楷書：由小篆演變而來，仍是左衣右刀之形。

初之簡化字與繁體字相同。

◆古義

《說文》：「衣，始也、從刀、衣、裁衣之始也。」「徐錯」曰：「禮之初，施衣以蔽形。」禮的開始是用衣服來遮蔽身體。「段玉裁」注：「製衣以鍼，用刀則為製之始，引申為凡始之稱。」故知「初」之本義為「開始」，引申為所有事物之始，「易經・既濟」：「亨小、利貞，初吉終亂」稍有亨通，守貞必有利，否則開始雖吉祥，最後却危亂。「莊子・繕性」：「繕性於俗，學以求復其初。」「繕」者，治也、修也。「性」者，本性、心性也。在世俗修治本性，就要以世俗的學識來恢傷其初始之性。所謂「人之初・性本善。」「善」乃性之本源。故自後往前推，引申為「初始」、「當初」、「最初」等義。「左傳・桓公・十七年」：「初，鄭伯將以高渠為卿。」當初鄭莊公準備用高渠彌做卿。「尚書・大禹謨」：「受命於神宗，率百官若帝之初。」禹在堯帝的宗廟裡接受帝位，率領百官如同當初舜即堯位完成禪讓儀式。

◆今意

「初」之本義至今未變，指的就是「開始」之事，現在式就是「當下」，如「比賽開始」，過去式則指「當初」，「唐・李白・長干行」：「妾髮初覆額，折花門前劇。」「唐・李益・喜見外弟又言別」：「問姓驚初見，稱名憶舊容。」最膾炙人口的應是「唐・白居易・長恨歌」：「楊家有女初長成，養在深閨人未識。」沒人認識、知道還好，一旦讓唐玄宗看上，「遂令天下父母心，不重生男重生女。」凡第一次都稱「初」，如「初次」、「初吻」、「初戀」、「初犯」、「初雪」、「初診」、「初識」、「初審」、「初創」等。「初出茅蘆」的人，往往有如「初生之犢」，胆雖大，但需磨練。現在教育普及，每個國民都要接受「初等教育」、「中等教育」。小孩剛生下來時稱「初度」，現多用指「生日」！

行楷

金文

小篆

行書

金文：上下是件衣服之形，中間是個「毛」，古之衣服多以毛裘為表，是個象形字。

小篆：由金文演變而來，是小篆的筆法。

表：楷書：由小篆字形演變而來，已失古義。

表之簡化字與繁體字相同。

◆古義

《說文》：「表，上衣也。」穿在外面的衣服之謂，古之衣裘，以毛為「表」。「論語・鄉黨」：「當暑，袗絺綌，必表而出之。」「袗（音疹）」是單衣，「絺（音吃）」是細葛布，「綌（音夕）」指粗葛布。夏天穿夏布製的單衣時，必先穿襯衣，再把單衣穿在外面。故知表之本義為「外衣」，引申為「外」，「當書・立政」：「方行天下，至於海表，罔有不服。」「海表」是「海外」，循著大禹的足跡，遍行天下，有至海外，沒有人不臣服的。「表」亦「明」也，「興」也！「禮記・檀弓」：「不亦善乎，君子表微。」做得很好啊！君子應該振興已經逐漸衰微的禮節。亦「正」也，「千字文」：「行端表正。」亦「標」也，「標誌」也。「晉語」：「置茅蕝，設望表。」「茅蕝（音絕）」是古朝會時，紮束茅草豎之，以表其位次。凡章奏亦曰表，如「諸葛亮、出師表」，「李密・陳情表」。供觀覽者亦曰表，如「史記・三代世表」，書法繪畫等裝潢曰「表背」，俗稱「裱褙」。

◆今意

「表」今多用於「外」的引申義，如「表面」、「表皮」、「表土」、「表相」、「表裡不一」、「表面文章」、「表面忠厚」等，亦多用於標誌，如「表記」、「表識」、「表徵」等。古代刻木立為標記，今之「標記」、「標線」、「標幟」、「標點」、「標號」、「標識」等都不用木。俗語云：「一表三千里。」「表連表、親連親、外戚內親數不清。」有些沒血緣關係的也「表兄弟叔侄」一番，距離自然拉近。「為人師表」是要當人模範，為師者，不可不慎！古有觀覽用之歷代年表，今有年度的「會計報表」、「統計表」等。近來亦用表度數的儀器，如「電表、水表、瓦斯表」。「表」亦與「錶」通，如「手表、鐘表都是錶」。對有善行者，要「表彰」、「表揚」，對喜歡自我吹揚者，可稱其為「丑表功」！

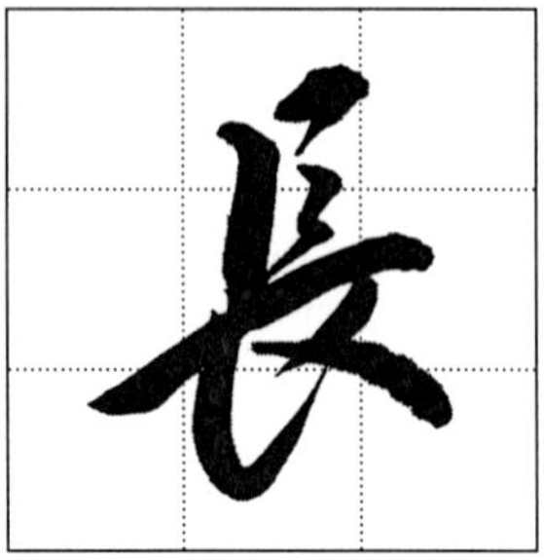

行楷

甲骨文

金文

小篆

行書

甲骨文：上端是兩根長長的頭髮，髮下是一而朝左彎曲站著的老人，手中柱著一根拐杖，老人柱杖而立，是個象形字。

金文：與甲骨文相似，只是少了拐杖。

小篆：由金文演變而來，下方多了一個「止」。

長：楷書：由小篆字形演變而來，已無老者柱杖之古義。

长：簡化字：由行草筆法簡化而來。

◆古義

「長」之本義為「柱杖之老年人」，即「長（音掌）者」。「禮記・曲記」：「年長以倍，則父事之；十年以長，則兄事之；五年以長，則肩隨之。」「肩隨」是並行，但稍稍在後半步。對年齡大過一倍以上的，要以父輩之禮相待，大過十歲的，要以兄長相待，大過自己五歲的，同行時必稍後半年，以示謙恭。另「成人」曰「長」，「禮記・曲禮」：「長曰能從宗廟社稷之事矣。」「從者」，主持也，反之則曰「幼」。因長者髮長，故引申為「長（音腸）短」。「增韻」：「長，短之對也。」「孟子・滕文公」：「今滕絕長補短。」「絕」者，「截」也，滕國雖小，可以截長补短。亦「久」也，「詩經・商頌・長發」：「濬哲維商，長發其祥。」「濬」通「睿」，「濬哲」是智慧者，英明有智慧的始祖商契，很久之後才顯露吉兆。亦「遠」也，「詩經・秦風・蒹葭」：「遡洄後之，道阻且長。」我逆曲水去追求她，道路險又遠。亦「善」也，「引」也。另「長（音仗）」亦「餘」、「多」、「冗」、「剩」等義。「世說新語・德行」：「恭作人無長物。」晉王恭為人節儉，沒有多餘之物，即「身無長物」也！

◆今意

「長」的讀音有三種：一、「長（音腸）」：生兒育女，希望子孫「長命富貴」、「長樂永康」，國家希望「長治久安」、「長樂未央」，千萬別「長吁短歎」，因為「世道無常」。無殼蝸牛常歎「長安居大不易」：盛氣凌人常說：「長江天塹任我渡，投鞭是以斷其流。」其實人不必爭名奪利，因為「長城萬里今猶在，不見當年秦始皇。」二、「長（音掌）」：「長幼」、「長輩」、「長子」、「長孫」、「長老」、「長官」，指相貌的「長相」，品德學問有進步的「長進」，小孩過生日的「長尾巴」，以及「長者賜不敢辭」等。三、「長（音仗）：沒有多餘的東西，「阮囊羞澀，身無長物。」以上三種讀法，前二者使用較廣，但「楊家有女初長成」、「長使英雄淚滿襟」千萬別讀錯啦！

行楷

金文

小篆

行書

金文：頂端是「刀」，表聲，刀下是口，以刀切食入口，下半部是「酉」，指「酒」，左右是雙手，以雙手取酒食招呼客人，是個形聲字。

小篆：左為「手」，右為「刀」、「口」，將「酉」簡化了。

招：楷書：由小篆字形轉換而來。

招之簡化字與繁體字相同。

◆古義

《說文》：「招，手呼也。」以手招呼、呼喚之義，「楚辭・招魂」注：「以手曰招，以言曰召。」「金文」以手相招飲酒食，故知其本義為「招呼」、「呼喚」。引申為「來之」，「尚書・說命」：「旁招俊乂，列於庶位。」「旁」是廣泛，「俊乂（音義）」指有才能的人，古時才德勝過千人者為俊，勝百人者為乂。廣泛招納有賢德之人，安排他們在適當的位置上。亦「自取」、「引來」、「招致」也，「尚書・大禹謨」：「滿招損，謙受益，時乃天道。」自滿會引來損害，謙虛可以獲得益處，這是天的常道。亦「羂」也，「束縛」也。「孟子・盡心」：「既入其苙，又從而招之。」「苙（音立）」是養牲畜的欄，把逃走的豬追了回來，關進柵欄，又把牠綁了起來。犯嫌自承罪狀曰「招供」。「招（音橋）」亦「舉」也，「莊子・駢拇」：「自虞氏招仁義以撓天下也，天下莫不奔命於仁義。」自從舜帝以仁義號召天下，天下沒有人不追求仁義的。「招（音韶）搖」是翱翔、遨遊之義。

◆今意

古時「招」唸（橋、韶）兩音者，今幾已不用，「招搖」亦多用於其引申義之「招搖撞騙」或誇張突顯的「凡事招搖」。獨生女招夫入贅女家之「招贅」現已少見。女子打扮得「花枝招展」、「招搖過市」，容易「招蜂引蝶」。愛花郎趨之若鶩，「必招人厭」。古人「一招半式闖江湖」，今者沒有一技之長或兩刷子，寸步難行。有些老板愛耍大牌，常把部下「招之即來，揮之即去。」不當人看待，如此怎能帶心？員工又沒「招誰惹誰」？只不過領了你的薪水！凡欲集合眾人之力始得完成者稱「招兵買馬」，古多用於軍事或起義，今則多以籌組事業或活動為主。另常見「吉屋招（召）租」、「招標公告」、「招攬生意」、「失物招領」、「招生簡單」、汽車「招呼站」等，過年時家家户户都會貼上「招財進寶」春聯，以討吉利！

行楷

金文

小篆

行書

金文：像一朵花形，上半部是一朵盛開的花朵，下半部是花莖與綠葉，「花」的本字是「華」，是個象形字。

小篆：由金文演變而來，形與義均相同。

花：楷書：上為「艸」部，表草木之形，下為「化」，表聲，此時變成形聲字。

花之簡化字與繁體字相同。

◆古義

「花」的本字是「華」，「爾雅・釋草」：「華，花也。」「詩經・小雅・皇皇者華」：「皇皇者華，于彼原隰。」「皇皇」是鮮艷，「隰（音息）」指濕地，鮮艷的花朵，開滿了高原和濕地。「爾雅・釋草」：「荷，其華菡萏，其實蓮。」荷開的花稱「菡萏」，它的果實稱「蓮子」。故知「花」的本字為「華」，其本義即「花朵」。「唐韻古音」：「按花字，自南北朝以上不見于書，晉以下書中間用花字，或是後人改易。」「正字通」：「花、草木之葩也。」「葩」即花朵。「花生」是牡丹的別稱，清朝時亦曾譽為「國花」。引申為看不清楚曰「花」，如「頭昏眼花」、「兩眼昏花」等。亦指種類繁多，如「花色繁多」，「花費」，消耗稱「花消」，「花押」是在文書或契約之尾簽字，以示承認或負責之義。

◆今意

看見「花」字，就會想起「唐・杜甫・客至」：「花徑不曾緣客掃，蓬門今始為君開。」那種迎接知己的高誼情懷躍然紙上！形容女子如花般美麗的「花容玉貌」、「花樣年華」，有「閉月羞花之貌」，「洞房花燭夜」是人生四樂之一，至今依然！古之「花押」，今則習慣用「畫押」。古之妓曰「花」，娼婦曰「花娘」，宴會中有妓侍酒者稱「花酒」，今者戲稱以花生米配酒為「喝花酒」。「花蕊夫人」是蜀主孟昶的妃子，曾寫下：「十四萬人齊解甲，寧無一個是男兒。」讓男子漢無地自容！雖登在報紙不顯處，趣味性却很高的新聞稱「花邊新聞」，「尋花問柳」小心得到「花柳病」，「花旗」是指美國的星條旗，亦是美國的別稱，「花旗銀行」是美國商業銀行！

行楷

甲骨文

小篆

行書

甲骨文：上方左右兩邊是兩隻手形，中間是一顆樹木，木下是土中樹木的根部，用雙手把木自土中拔起之義，是個會意字。

小篆：變化較大，右為「手」，右邊是一隻「犬」形，犬下的「足」被捕獸器夾住，用手拔起之義。

拔：楷書：由小篆形體演變而來，已無古義。

拔之簡化字與繁體字相同。

◆古義

《說文》：「拔，擢也。」「擢」者，引之而起也，抽也。「易經・泰卦」：「拔茅茹，以其彙。」「茅」是茅草，「茹」是相連之根，「彙」指同類相聚，像拔起茅草，其根相連，同類必然相聚在一起也。「爾雅・釋詁」：「拔，盡也。」如陳根悉拔，有絕盡之義。故知「拔」之本義為「擢也」、「抽也」，連根拔起之謂。引申為「取」，「史記・高祖紀」：「攻碭三日拔之。」「碭」是江蘇的縣名，「拔」者指破城邑而取之，猶如將樹木連根拔起。亦有「動搖」、「移易」之義。「易經・乾卦」：「樂則行之，憂則違之，確乎其不可拔，潛龍也。」使內心感到快樂的事就去做，感到憂煩的事就不做，堅持不可動搖的意志，此即潛龍之意義也！亦引申為「急速」、「猝然」。「禮記・少儀」：「毋拔來，毋報往。」做事不可臨時起意，猝然而行，經思慮而行者，亦不可驟然而止。「拔」讀「佩」音時，是指木葉高大，「詩經・大雅・緜」：「柞棫拔矣，行道兌矣。」「柞（音做）」與棫（音玉）」均常綠灌木、枝葉茂盛、道路亦暢通無阻。「拔」亦與「跋」通，如「拓跋」、「托拔」。

◆今意

「拔」之本義為「擢」，將草木連根拔起，引申為提拔人為「拔擢」，以上對下，使部下登上高位，人盡其才。若無長官提拔，雖埋頭苦幹，苦幹實幹，一仍枉然，有很多當人長官者，是從不提拔人的，部下表現不好，長官隨時可以拔掉，奈何！小時看武俠小說，男主角旱地拔葱，一蹬上屋，武功煞是了得！「拔葵去織」語出「漢書・董仲舒傳」：後喻已食國家俸祿，不與民爭利。今之官員藉勢藉端，欺壓百姓，與民爭利者，時有所聞，宜以此成語自惕，古有「孟子・盡心」：「拔一毛而利天下，不為也。」之利已哲學，今有「一毛不拔」之企業主可與之媲美也！

行楷

金文

小篆

行書

金文：左邊是一扇門，右邊是一把大斧（斤），伐木為門，伐木之聲也，是個會意字。

小篆：由金文演變而來，較字形化。

所：楷書：由小篆字形轉換而來。

所之簡化字與繁體字相同。

◆古義

《說文》：「所，伐木聲也。」砍伐木材的聲音，「所」古與「許」通，「詩經・小雅・伐木」：「伐木許許，釃酒有藇。」「許許」即「所所」，「砍木」、「鋸木」之聲，「釃（音私）」是濾酒，「藇（音序）」指美、香。砍伐木材之聲沙沙地響，過濾後的美酒多麼香醇。故知「所」之本義為「伐木聲」。因伐木建屋而引申為「處所」。「詩經・鄭風・大叔于田」：「襢裼暴虎，献于公所。」「襢（音坦）」與「袒」同。「裼（音錫）」露臂也，「襢裼」即赤膊之義，他赤膊徒手搏虎，並將虎献於公之住所。「詩經・商頌・烈祖」：「申錫無疆，及爾斯所。」「申」是重複，不斷賜福給您，及您居住的家園。亦為計算房屋之單位，如「房一所」。「漢書・張良傳」：「父去里所復還。」「所」通「許」，老人離去約一里路，又回來了。亦引申為「指事物的詞」，「論語・為政」：「視其所以，觀其所由，察其所安。」觀察一個人，先看他所做，又看他如此做的原因，再看他滿意的成績何在。亦語中助詞。「禮記・檀弓」：「君無所辱命。」您在這裡將無法完成使命。「所」亦通「可」。「史記・淮陰侯傳」：「非信無所與計事者。」

◆今意

「所」之伐木本義早失，今多用於伐木建屋之住所，每個人都要有個「棲身之所」，古時「臣以君為天」、「子以父為天」、「妻以夫為天」，故曰「所天」，後世多指「夫」為「妻」之天，今者，「男女平等，夫妻平權。」此語已絕矣！「詩經・小雅・小宛」：「夙興夜寐，毋忝爾所生。」要早起晚睡，勤奮自強，不要玷辱了生養您的父母，這句話至今仍可當作座右銘！「所歡」是指心愛的人，「古樂府」：「風吹窗簾動，疑是所歡來。」「禮記・禮運」：「使老有所終，壯有所用，幼有所長。」這種禮義與禮制直到現在都規範著、驅動著社會文明的進化！「所答非所問」、「所見不如所聞」是負面的、「知其然，不知其所以然」是被動的、「英雄所見略同」是正面的。

行楷

金文

小篆

行書

上半部是一顆甘蔗之形，蔗葉茂密，其中四點是表示滴下之蔗汁，下半部是「口」，蔗汁入口指甘甜，是「蔗」的本字，是個象形字。

小篆：下半部的「口」變成「白」字。

者：楷書：由小篆字形演變而來。

者之簡化字與繁體字相同。

◆古義

「者」是「蔗」的本字，後被借用為代詞、形容詞、虛詞及語助詞。《說文》：「者，別事詞也。」「別事」泛指人、事、物、時等。用作代名詞是指「的」、「是……的……」簡化，如「賢者」、「急公好義者」，「易經・乾卦」：「元者，善之長也。」「元」是好的開始，是一切「善」的尊長。「史記・淮陰侯列傳」：「臣聞智者千慮，必有一失；愚者千慮，必有一得。」「論語・雍也」：「知者樂水，仁者樂山。」「知」是「智」，「樂（音要）」指愛好。用於形容詞時，義與「這」同，如早期的白話文「者番」，即這一次，這一回。用於語助詞之略表停頓，「論語・公冶長」：「魯無君子者，斯焉取斯？」斯焉指此人，取斯是學得德行，魯國若沒有這麼多君子，他又怎能學到如此德行呢？用於語之結尾，「論語・先進」：「是故惡夫佞者。」「佞」指強辯，我最厭惡巧言強辯之人。

◆今意

「者」至今仍常用於詞中、詞尾的語助詞、代詞或形容詞等，如詞中之「妻者，主內也。」詞尾之「好學者」、「失敗者」，代詞之「擅於書畫者」，近亦指專門從事某種事物之人，如「記者」、「作者」、「舞者」等。古句今仍常用者有「仁者壽」、「仁者無敵」、「始作俑者」、「如此者般」、「言者無心，聽者有意」等。古時常用「者箇」，現在則用「這個」。「之、乎、者、也」現已成為文言文的代名詞，這四個語助詞在白話文中極為少見，但如能善加利用，對文章的程度必有提升！

行楷

甲骨文

金文

小篆

行書

甲骨文：左下方是一隻左手，手執工具撲打右邊的樹木，是個會意字。

金文：樹木移到左邊，右下方是一隻右手，舉起大斧砍樹的樣子。

小篆：左邊是木的字形，右邊變成「攴」字。

枚：楷書：由小篆字形演變而來，仍有砍樹古義。

枚之簡化字與繁體字相同。

◆古義

枚之本義是「砍樹」，「詩經・周南・汝墳」：「遵彼汝墳，伐其條枚。」「遵」是循也、沿也，「汝」是水名，在河南省，「墳」指堤岸，「條枚」是樹枝與樹幹，沿著汝水的堤岸，砍伐樹枝和樹幹。古時「枝曰條，榦曰枚。」《說文》：「枚，幹也，可以為杖。」「詩經大雅・旱麓」：「莫莫葛藟，施于條枚。」「莫莫」是茂盛，「葛藟」指葛藤，茂密的葛藤，攀沿在樹幹和樹枝上。由樹枝引申為馬鞭，「左傳・襄公・十八年」：「以枚數闔。」「闔」是城門，此指城門上的鐵釘，用馬鞭指著鐵釘細數其數（音訴）。亦指銜於口中之「行枚」，古之夜行軍，欲達靜・速目的，讓士兵口銜如筷之木，不能開口喧嘩，稱「銜枚疾走」。亦用於計數之「個」，「漢書・食貨志」：「二枚為一朋。」如今之「一個」稱「一枚」。

◆今意

「枚」之本義至今已失，而多用於計數的「個」，一個叫一枚，如「一枚銅板。」把事與物一項一項的列舉出來稱「枚舉」，種類、樣數太多，不能一一列舉稱「不勝枚舉」。我國圍棋大國手林海峯最厲害的布局就是「二枚腰」，兩枚棋子布局在棋盤的腰部，常以鉗制敵人，切斷通路，終而致勝！「枚枚」古指細密之義，今已不用！而今殺傷力最大的是「發射一枚飛彈」、「投下一枚原子彈」，那將毀掉多少人的身家性命與財產！

行楷

甲骨文

金文

小篆

行書

甲骨文：左邊是個「單」，表示武器，下方是在武器下低頭祈禱的人形，是個會意字。

金文：頂端是飄揚的軍旗，旗下是武器與祈禱的人形。

小篆：左邊變成「示」，表形，右邊變成「斤」，表聲，此時變成形聲字，筆法亦簡化許多。

祈：楷書：由小篆筆法轉換而來。

祈之簡化字與繁體字相同。

◆古義

《說文》：「祈，求福也。」「祈」之本義為「祈求作戰勝利」。引申為「為民祈福」。「禮記・月令」：「今民無不咸出其力，以共皇天上帝、名山大川、四方之神，以祠宗廟社稷之靈，以為民祈福。」「共」即「供」也，「四方之神」是指山林、川澤、丘陵、墳衍之神。亦「祈禱」也，在神佛前祈求禱告賜福之謂。「詩經・小雅・甫田」：「以祈甘雨，以介我稷黍。」「介」是「幫助」，祈求天降甘霖，以助我黍稷豐收。亦「報答」也。「詩經・大雅・行葦」：「酌以大斗，以祈黃耇。」「斗」是長柄取酒勺，「黃耇（音苟）」指老人，用大勺舀酒，來報答老耇。「祈祈」是徐緩貌，「祈」通「圻」，「尚書・酒誥」：「圻父薄違。」「圻」是邊境，「圻父」是「司馬」，掌邊境保衛之軍事。討伐叛亂的司馬。「祈」亦通「畿」，指國都附近之地，如「京畿」、「近畿」等。

◆今意

古之「祈」多以「為民祈福」為主，久旱祈求天降甘霖為「祈雨」，久雨祈求上蒼放晴為「祈晴」，祈求風調雨順、五穀豐收謂之「祈年」，這種「祈福」多由帝王親為，或下詔百官為之！今之「祈」則百姓人人得而為之或至廟宇，或至神壇，或自家祖宗牌位，皆得「祈」之，所祈諸事，應皆以「善」為出發點，則必靈也！古之「祈禱」者是天子諸侯，今者，「祈禱」是基督教、天主教、回教等教徒或每日，或每週最重要的行事，包含對神的讚美、告解、請求、感謝等意。我非佛教徒，但每日清晨必定給祖先牌位上一炷香，祈求「國泰民安・子孝孫賢。」

行楷

甲骨文

小篆

行書

甲骨文：左邊是顆枯萎了的禾稈，頂端的苗芽下垂曲捲，右邊是一個面朝左跪著的女子在傷心、委曲，是個會意字。

小篆：「禾」在上，「女」在下，是小篆的筆法，其義未變。

委：楷書：由小篆字形轉換而來，古義仍存。

委之簡化字與繁體字相同。

◆古義

「委」之本義為「莊稼枯萎，令女傷心」，「釋名」：「委，萎也。」「委」是「萎」的初文。「禮記・檀弓」：「梁木其壞，哲人其萎，則吾將安放？」棟梁壞了，哲人凋零了，那我們還有什麼可以依靠？因「禾稈」枯萎，女子傷心從之，引申為「隨」、「從」，《說文》：「委，隨也。」溫順的樣子，「後漢書・竇憲傳」：「憲以鄧彪仁厚委隨。」竇憲認為鄧彪個性仁厚，性情溫順。亦「棄」也，「孟子・公孫丑」：「委而去之，是地利不如人和也。」最後仍戰敗丟棄，這是地利不如人和啊！亦「任」、「付託」也！「左傳・文公・六年」：「委之常秩，導之禮則。」委任常設的職官，按時給付俸祿，教導人民知曉禮儀規範。亦「曲」也，「委曲」是勉強將就，委曲求全，與「委屈」同。「委蛇（音威儀）」亦作「委迤」、「委佗」、「委宅」、「逶隨」，是從容隨順或對人隨和有禮，「虛與委蛇」則指對人假意相待，虛情應付。

◆今意

「委」之本義為為「枯萎」，自加草頭為「萎」後，「委」字即多用於引申義，如委請別人辦事的「委任」、「委託」、「委派」。把身心寄託在某方面的「委身」。「委任官」亦是公務員的官階之一。把自己的過錯推給別人的「委罪」、「委過」，形容疲乏、頹喪的「委頓」、「委靡」。事情的開始叫「原」，終了叫「委」，從頭到尾稱「原委」，如「請詳述原委」。「委曲」是指「原委曲折」，亦指對人或事勉強遷就之義。「委屈」則指心有悒苦不得志，又不能伸張之謂。丟棄、拋棄稱「委棄」，確實不偽稱「委實」。「虛與委蛇」中的「委蛇（音威儀）」一般人常唸錯，引用時需注意。古時女子將己身託付給男子稱「委身」，現在自由戀愛，兩性平權，已少用之！

行楷

甲骨文

金文

小篆

行書

甲骨文：外形像一個長長的箭袋，袋子裡有一枝箭，右上方是一個小套口，可以掛在腰際，
亦可掛在牆上，是個會意字。

金文：箭是倒插入袋，義與甲骨文相同。

小篆：變化較大，箭袋像個簍子，上面還有提把。

函：楷書：由小篆字形演變而來，已無箭、袋踪影。

函之簡化字與繁體字相同。

◆古義

「函」之本義為裝箭的「箭袋」，因袋能容箭，故引申為「容」，《說文》：「函，容也。」「容」者，包函、容納也，寬大能包函一切之謂。「漢書・班固・敍傳」：「函之如海。」海納百川，如海之容也！「函海」是書名，清乾隆年間李調元所輯，凡四十函。「函」亦「甲」也，「鎧」也。「周禮・冬官・考工記」：「函人，掌製甲者也。」製作鎧甲之人也。「函文」是指「講席」，「禮記・曲記」：「若非飲食之客，則布席，席間函丈。」「布席」是有間隔的席位，「函」是容納，「丈」是古時的距離，如非前來飲食的容人，則席位的間隔要大，距離保持一丈。以後引用為學生在書信中對老師的稱謂，如「某某夫子函文。」即講席也。緘封之書信一封謂之「一函」，所封之書信稱信函。「函谷關」是秦時所建，以「絕壁千仞，深險如函」得名。

◆今意

今不用箭，皮之不存，毛將焉附，故「箭袋」早已不存，古之鎧甲及函人，今亦消失，取而代之的是防彈衣。古稱師為「函丈」，今則統稱「老師」、「教授」，公文・書信亦很少以「函丈」相稱了。公文可稱「公函」，書信亦稱「書函」、「函件」，信函與公文可合稱「函牘」。備函送達稱「函送」。「函弘」是寬大。「函夏」是指全中國，因函蓋諸夏之謂。上有公路、鐵路通行，下為隧洞，可供流水或人車通行者，稱「函洞」。現在教育普及，沒空去學校上課的在職人員，可參加空中大學進修，學校以通信的方式來教授，稱為「函授」。用通信方式購買商品稱「函購」。「函數」是數學名詞，後數隨前數之值而變動時，後數為前數之「函數」！

行楷

甲骨文

金文

小篆

行書

甲骨文：像一個羊頭的形狀，有眼睛與嘴巴，頭上三根代表頭毛，是個象形字。

金文：上部三根仍表頭髮，髮下眼睛變成「目」字。

小篆：由金文演變而來，形義均同。

首：楷書：由小篆字形演變而來，已無古義。

首之簡化字與繁體字相同。

◆古義

《說文》：「首，頭也。」「詩經・邶風・靜女」：「愛而不見，搔首踟躕。」「愛」是隱藏，「踟躕」指排徊，故意隱藏起來，害我抓著頭皮來回徘徊。「宋・張舜民・賣花聲」：「回首夕陽紅盡處，應是長安。」回頭看看那夕陽斜照的盡處，應該就是我思念的故鄉吧！故知「首」之本義為「頭」，亦引申為「始」，「爾雅・釋詁」：「首，始也。」四時之首曰始，春以正月為始，夏以四月為始，秋以七月為始，冬以十月為始。「漢書・律曆志」：「張蒼首律曆事。」「首」是始定也，「律曆志」是指正史中所記載一代樂律及曆法制度與因革之誌也。亦「重要」、「要領」也。「尚書・秦誓」：「聽無譁，予誓告汝羣言之首。」「羣言之首」是話中最重要的，聽著，不要喧嘩，我有重要的話要告訴你們。亦「長」也、「首領」也、「首長」也。「禮記・間傳」：「所以首其內而見諸外也。」「見」通「現」，內心的哀痛顯現於外也。亦「篇」也，詩詞歌曲一篇稱「一首」。

◆今意

「領頭的」、「居領導」地位的如「首長」、「首相」、「首座」、「首席」、「首腦」、「首領」、「首都」、「首府」等。指「第一次」的，「排第一」的如「首次」、「首演」、「首映」、「首航」、「首屆」、「首戰」、「首日封」等。古時人頭稱「首級」，秦時斬敵一首級得加爵一級。有罪自陳曰「自首」，出面告發別人的罪行稱「出首」或「首告」。古時稱京師為「首善之區」亦指模範。富人排行榜的第一名稱「首富」。「李後主」的「故國不堪回首月明中」是亡國的淒涼，「蘇東坡」：「回首向來蕭瑟處，歸去，也無風雨也無晴。」是對人生的頓悟和灑脫。「杜甫」：「敏捷詩千首，飄零酒一杯。」是讚美李白的才華卻傷感其一生落拓飄零。不知李白晚年有無「不堪回首」之嘆！

行楷

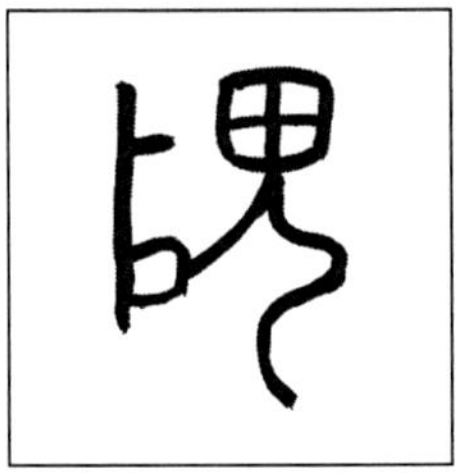
甲骨文

金文

小篆

行書

甲骨文：右邊是個「鬼」，左邊是個棍棒之形，鬼執棍棒追打或抓住活人，使人心生恐懼，
是個會意字。

金文：與甲骨文形相似，義相同。

小篆：由金文演變而來，變成上下的寫法。

畏：楷書：由小篆字形演變而來，已無古義。

畏之簡化字與繁體字相同。

◆古義

「畏」之古文係「鬼」與「爪」合成為「梟」。《說文》：「畏，惡也，鬼頭而虎爪，可畏也」。「當書・呂刑」：「永畏惟罰，非天不中，惟人在命。」永遠畏懼上天的懲罰，不是天道不公平，而是自己拒絕了天命。「左傳・文公，十七年」：「古人有言曰：畏首畏尾，身其餘幾？」古人說：頭尾都畏懼，剩下的身體還有多少是不懼的呢？「詩經・大雅・桑柔」：「匪言不能，胡斯畏忌？」「匪」者，「非」也，不是說不能，為何要懼怕這些呢？故知「畏」之本義為「恐懼」，引申為「敬服」，「禮記・曲禮」：「賢者狎而敬之，畏而愛之。」「狎」是親近，有賢德的人，對自己親近的人能保持敬重，對德行能使自己敬憚者，保持敬愛之心。亦通「威」，「尚書・皋陶謨」：「天明畏，自我民明威。」「畏」者，以威懲惡也。上天表彰好人，懲罰壞人，都是根據臣民的意見，亦通「隈」，曲也，弓之曲處曰「隈」。

◆今意

「畏」是恐懼、害怕，因恐懼而退縮稱「畏縮」，遇事恐前懼後，寡斷不決稱「畏畏縮縮」。「畏途」亦作「畏塗」，語出「莊子・達生篇」，意指道路不平靖，如有一人遇害，則相警惕，必集眾人同出，以保行路平安！後亦指道路險阻，「唐・李白・蜀道難」：「問君西遊何時還？畏途巉巖不可攀。」今則多用指事情困難，更或有危險令人不敢前往，如「那份差事，大家都視為畏途，避之惟恐不及！」此時，若能發揮「大無畏」之精神而勇往直前者，必定能出人頭地！「葸（音洗）」是害怕，「畏葸不前」是懼而不前，「畏葸苟安」是因恐懼而只顧目前的安全。

行楷

金文

小篆

行書

金文：左邊是個「言」，右邊是個「人」，「人言」為信，是個會意字。

小篆：「人」換到左邊，其義不變。

信：楷書：由小篆字形演變而來，仍有古義。

信之簡化字與繁體字相同。

◆古義

《說文》：「信，誠也，從人．從言。」「正韻」：「信，不疑也，不差爽也。」不懷疑，沒有差錯失誤，言語真實之謂。「論語．學而」：「與朋友交，而不信乎？」和朋友交往，是否誠信？「與朋友交，言而有信。」子夏說：跟朋友交往，說話要有誠信！「左傳．僖公，七年」：「子父不奸之謂禮，守命共時之謂信，違此二者，姦莫大焉。」「奸」是「違犯」，「共」即「恭」，「姦」指邪惡。兒子不違父命稱「禮」，受命恭行稱「信」，違犯禮和信就是最大的邪惡，故知信之本義為「誠實」。引申為「從」，「論語．顏淵」：「足食足兵，民信之矣。」民生與軍備都充足，人民自有信從之心。另「符契」曰信、信物、印信也，分則兩半，合而為一，多用於出入關塞等。連宿兩夜為「信」，「左傳．莊公，三年」：「凡師，一宿為舍，再宿為信。」亦通「陳」，陳列也。亦通「伸」（音申），古作「申」，展也，直也。亦通「身」，「周禮．春官」：「侯執信圭，伯執躬圭。」「信圭」直躬圭屈也！

◆今意

至今仍強調「人言為信」，說話要有信用。有的人在未達目的前，都「信誓旦旦」，以後才知道那些都是「信口開合」的「信口雌黃」。「信」亦指書信、信件、信札等，「信封」上要寫明收信人的名字，那是「信使「（郵差）對收信人的稱呼，兒子給父親寫信，千萬別在「信封」上，寫「父親大人親啓」，此時郵差變兒子，會鬧笑話的！「唐．李益．江南曲」：「早知潮有信，嫁與弄潮兒。」有些人出門便無音信，家人常以「出門當丟掉，回來算撿到。」自嘲！現在如果不講誠信，必有「信用危機」，不但「信用貸款」貸不到，任誰都對你「不信任投票」、「信用卡」會被註銷，企業用的「信用狀」必然失效，「人無信不立」，沒有信用的人到那裡都抬不起頭來的！

行楷

甲骨文

金文

小篆

行書

甲骨文：中間是一個女子，左右兩邊為手形，女子雙手插腰，「要」是「腰」的本字，是個會意字。

金文：女子的頭部變成「目」，左右兩邊仍為手形。

小篆：女子的形狀又有變化，左右仍為手形。

要：楷書：由小篆字形演變而來，「西上女下」，已無古義。

要之簡化字與繁體字相同。

◆古義

《說文》：「要，身中也。」身體中間的這一部分，後加「肉」部為「腰」，專指腰部。「博雅」：「要，約也。」「論語•憲問」：「久要不忘平生之言，亦可以為成人矣。」雖已久遠的約定，仍不忘記，如此可謂「全人」了！「左傳•哀公十四年」：「使季路要我，吾無盟矣。」「季路」即「子路」，派子路來和我約定，我們可以不要誓盟了！亦「求」也，「孟子•告子」：「今之人脩其天爵，以要人爵。」修養德行，以求官祿。亦「攔截」也，「孟子•萬章」：「將要而殺之，微服而過宋。」將要攔截殺害孔子，孔子即變裝逃過宋境。亦「會」也，「合」也，「禮記•樂記」：「行其綴兆，要其節奏，行列得正焉。」「兆」是「位置」，踏對舞位，合著節拍，行列自然就整齊。亦「勠」也，「察」也，「尚書•康誥•要囚傳」：「要察囚情，得其辭以「斷獄。」「要領」是指「腰」與「頸」，引申為事之重要綱領。亦為計數之簿書，月計曰要，歲計曰會。

◆今意

「要」有兩種讀音：一、要（音耀）：現在大家都知道「要健康」、「要幸福」、「要愛情」、「要美滿」，小孩牙牙學語便懂得說「要要」，養成了習慣，長大後見什麼都想要，那就「要不得」啦！有些「要人」，住居「要津」，但最後却成了貪污「要犯」，不都是一個「要」字害的！二、要（音邀）：如請求或需索等的「要求」，刻意讚美或誇大自己功勞的「要功」，亦作「邀功」，威脅或強迫別人服從的「要挾」，強勢壓迫對方訂約的「要約」、「要盟」，在中途（半腰）攔截給予致命一擊的「要擊」等。每日重要的新聞稱「要聞」，重要的事務稱「要務」，說話簡單扼要稱「要言不煩」，四川人常以「要得」或「硬是要得」來讚美或肯定別人！

行楷

金文

小篆

行書

金文：上面是一把扇子之形，扇下是一隻左手，像個僕人執扇為主人搧風，是個會意字。

小篆：扇子變成「甲」字，「甲」是古戰士上身穿的甲衣，下部仍為手形。

卑：楷書：像是金文與小篆的綜合體，已無古義。

卑之簡化字與繁體字相同。

◆古義

《說文》：「卑，賤也，執事者。」──地位低微的執事者，「玉篇」：「下也。」──「易經・繫辭」：「天尊地卑，乾坤定矣。」──天為陽、為尊，坤為地、為陰、為卑，天在上而尊，地在下而卑，尊卑既分，乾坤定也。亦「低」也，「左傳・昭公，三十二年」：「計丈數，揣高卑。」──計算築城的長度，估算城牆的高低。故知「卑」之本義為「低下」。引申為「謙恭」。「史記・魏世家」：「惠王數敗於軍旅，卑禮厚幣以招賢者。」──「卑禮」是謙恭的禮節，「厚幣」是豐厚的幣帛。亦引申為「衰弱」，「國語・周語」：「王室其將卑乎？」──王室將愈來愈衰弱了。「卑鄙」是指卑賤鄙陋之義。「諸葛亮前出師表」：「先帝不以臣卑鄙，猥自枉屈，三顧臣於草廬之中。」──「卑溼」是指低窪潮濕之地，「史記・賈誼傳」：「聞長沙卑溼，自以壽不得長。」──聽說長沙地勢低而潮濕，壽命不得長也！「莊子・天地」：「子貢卑陬失色，項項然不自得，行三十里而後愈。」──「卑陬（音鄒）」是慚愧貌，「項項（音旭）」是自失的樣子，子貢聽了種菜老丈一席話後，滿臉愧色，若有所思，走了三十里神情才安定下來。

◆今意

「卑」之本義至今未變，但現在講求人權平等，在人權上已無尊卑之分，僅親屬有尊卑，子、孫、曾孫、玄孫等是直系卑親屬，弟、妹、姪、甥、外孫等是旁系卑親屬。古之官職有尊卑，下官謁見上官時，自稱卑職，現在「卑」已拿掉，公文簽呈上寫個「職」字，已足敬也！「諸葛亮前出師表」中的：「先帝不以臣卑鄙。」是謙稱自己低微鄙陋之義，今之「卑鄙」則多指人格低下，極有貶義，亦更不用於自謙也！但是自貶身價「卑躬屈膝」去諂媚別人的人，却仍然很多！「卑南文化遺址」是一九八0年在台灣台東卑南發現，年代約在五千年前到兩千五百年前，是台灣新石器時代住屋建築最早發現地區之一。

行楷

甲骨文

金文

小篆

行書

甲骨文：上面是一個手爪形，下方是一隻手形，中間是一根長棍，上爪抓棍以引援下者，是個會意字。

金文：與甲骨文之字形字義均同。

小篆：由金文演變而來，其義亦同。

爱：楷書：由小篆字形轉換而來，仍有古義。

爱之簡化字與繁體字相同。

◆古義

「爰」之本義為「引援」、「牽引」、「援助」，本為「援」之本字，後被借用為助詞、虛詞後，後人加「提手」旁為「援」以用於本義。《說文》：「爰，引也。」「引」者，「引言」、「引領」、「引導」之謂。「爾雅・釋詁」：「爰，曰也、于也、於也。」「爰」是用於句首或句中的助詞，與「曰」同。「詩經・小雅・鶴鳴」：「樂彼之園，爰有樹檀，其下維蘀。」「蘀（音拓）」是棗樹的一種，我喜歡那個林園，有檀樹，其次還有蘀樹。亦用於介詞，「於」也。「尚書・盤庚」：「乃正厥位，綏爰有眾，曰：無戲怠。」「厥位」是指朝廷的方位，「綏」是告諭，跟著確立宗廟朝廷的方位，並告諭眾人，不要玩樂而懈怠。亦用於連接詞，當「與」、「於是」義。「尚書・無逸」：「作其即位，爰知小人之依，能保惠于庶民，不敢侮鰥寡。」等到他登上王位，於是便知一般人的痛苦，才能夠施惠於民，使百姓安居樂業，就連那孤獨無依之人也不受欺負。亦「之」也，「詩經・小雅・正月」：「瞻烏爰止，于誰之屋。」看烏鴉之棲息，看落入誰家房屋。

◆今意

「爰」至今常用於連接詞，當「與」、「於是」講。如「知兄大作出版，爰特修書致賀！」「頃悉家鄉大旱，爰予捐助，略盡棉薄。」等，「爰」亦有「移」義，「三國志，吳志，鍾離牧傳」：「會稽山陰人，少爰居永興。」少年時移居永興。今白話文用「移」、「遷」、「搬」文言文則用「爰」。「爰立」是指拜相，今已無此制度。古時，錄取囚犯口供，即以文書取代其口辭，稱「爰書」，今者，法院的判決書稱「爰書」，而所錄製的口供稱筆錄。「爰爰」是指「緩緩」、「舒緩」的樣子，「詩經・王風・免爰」：「有兔爰爰，雉離于羅。」兔子動作舒緩，但野雞却掉進了羅網裡！現在已很少用之！「爰」亦姓氏，與「表」同，今多作「袁」！您如老犯錯，「爰引」孔子所說：「過，則勿憚改。」

行楷

甲骨文

金文

小篆

行書

甲骨文：由「行」與「水」構成，左右兩邊合起來是「行」字，中間是河川，表流水之形，流水不斷在行走流動之義，是個會意字。

金文：中間的水形稍有變化，與甲骨文形義相同。

小篆：與金文相同，是小篆的筆法。

衍：楷書：由小篆字形轉換而來，仍有古義。

衍之簡化字與繁體字相同。

◆古義

《說文》：「衍，水朝宗於海也，從水從行。」萬流歸宗，海納百川之謂。「段玉裁注」：「海潮之來，旁推曲暢，兩厓渚涘之間，不辨牛馬，故曰衍。」「厓」即「涯」，指水邊，「渚（音主）」是水中小陸地，「涘（音四）」指水邊，海潮來時，水道盈溢，淹沒沙洲，遠而觀之，兮不清是陸地？抑或牛馬之形？「小爾雅」：「澤之廣者謂之衍。」故知「衍」之本義為「潮盛」。引申為「延長」、「漫延」。「尚書・大傳・虞夏傳」：「至今衍於四海。」「衍」猶溢也、美也，「詩經・小雅・伐木」：「伐木于阪，釃酒有衍。」「阪」是山坡，「釃（音私）」指把酒濾清。在那山坡伐木，濾清的酒斟得滿溢多麼美好。古籍中沿訛多餘之文字稱「衍文」，「衍」亦指高平而美之地，「沃」是下平而美之地，故凡平美之地稱「衍沃」。「左傳・襄公，二十五年」：「牧隰皐，井衍沃。」在有水草處放牧，在平而美的土地上開闢井田。

◆今意

「衍」今多用於「衍生」，指因連帶關係而直接或間接發生的事與物，好的稱「花開並蒂」，不好的叫「節外生枝」。「衍生物」是化學名詞，指化合物中的分子直接或間接被其他原子，或原子團取代，所衍生之產物，稱為該化合物的「衍生物」。「繁衍」即「蕃衍」，多指動物或植物的「繁衍綿延」，生養眾多，布散廣遠之義。「衍繹」是把意義引申出來。「衍義」則指所引申出來的意義。祝賀別人五十歲生日稱「衍慶」，年已半百，祝願再「衍生」半百，健康活到一百歲！「衍衍」是指疾行的樣子，今已少用。「衍生枝節」多用於負面，形容產生了其他新的問題。

行楷

金文

小篆

行書

金文：上面是一件擋雨的衣服，下面是兩束編衣服的蓑草，用蓑草編成衣服以遮雨，即草雨衣也，是個象形字。

小篆：較金文複雜，上下合而為「衣」，中間仍是兩束相連的蓑草。

衰：楷書：由小篆演變而來，已失蓑衣古義。

衰之簡化字與繁體字相同。

◆古義

《說文》：「衰，艸（草）雨衣。」用草編成的雨衣，後加草字頭為「蓑（音唆）衣」。「詩經・小雅・無羊」：「何蓑何笠，或負其餱。」「何」是古「荷」字，荷負、披戴也，「餱（音侯）」指乾糧，披著遮雨的蓑衣，戴著斗笠，有的背著乾糧。自有「蓑」字後，「衰」便專用於「盛」之對義字，「由盛而衰」、「衰弱」、「衰老」等義。「左傳・襄公二十九年」：「其周德之衰乎？猶有先王之遺民焉。」唱的是周朝德行衰微的詩歌吧？但仍有先王遺民的風範！「論語・述而」：「甚矣吾衰也，久矣，吾不復夢見周公！」孔子說：我真的很衰老了，很久沒有力行周公之道而夢見他了。「衰（音催）」亦「遞降」、「遞減」之義。「左傳・襄公・二十五年」：「且昔天子之地一圻，列國一同，自是以衰。」方圓千里為「一圻」，百里為「一同」，從前天子的土地方圓一千里，諸侯一百里，依次遞減也。麻布做的喪服稱「衰絰」。亦通「縗」指喪服。

◆今意

「衰」之本義是指用草編成的雨衣，自被借用為「衰弱」、「衰老」後，另加草頭為「蓑」以別之。後之「蓑衣斗笠」已不用草，而以鬃毛竹葉為之！「衰」是「盛」的對義字，「盛極而衰」是走下坡，「否極泰來」是入佳境。人生、事業到達頂峯，如日中天之時，尤要戒慎恐懼，因太陽總會西下，英國曾號稱「日不落國」秦併六國何其盛哉！而今安在？「衰老」是種無奈，如果想不開，它也是種悲哀！「唐・賀知章，回鄉偶書」：「少小離家老大回，鄉音無改鬢毛衰。歷盡滄桑，鬚髮盡白。「左傳・曹劌論戰」：「一鼓作氣再而衰，三而竭。」現在對不被看好的人與事稱「看衰」、「唱衰」，這些「衰」都是負面的貶義字，還是要以「振衰起幣」來改變！

行楷

甲骨文

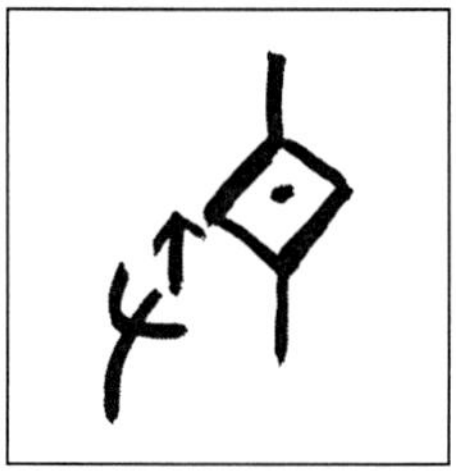

金文

小篆

行書

甲骨文：右邊是一個鼓形的樂器，左下方是一隻左手拿著一根小棒搥，在搥打樂器，樂器比「手」與「搥」大，表示「樂之盛也」，是個會意字。

金文：左邊變成一個彎腰的人形，腰上繫了鼓形樂器，右邊是隻右手執棒搥擊打。

小篆：左邊的人形多了一條腿，像是支撐樂器的架子，右邊變成「殳（音殊）」，是古兵器名。

殷：楷書：由小篆字形演變而來，已失古義。

殷之簡化字與繁體字相同。

◆古義

《說文》：「作樂之盛稱殷。」「殷」者，豐盛也，眾多樂器齊鳴也。「易經・豫卦」：「先王以作樂崇德，殷薦之上帝。」「崇」者，尊崇，「薦」指進献，先代君王制作音樂，尊崇德行，以盛大的典禮進献給天帝。「尚書・洛誥」：「王，肇稱殷禮，祀於新邑。」周公對盛王說：您開始用盛大的典禮接見諸侯，在洛邑舉行祭祀。故知「殷」之本義為「樂盛」、「豐盛」。引申為「眾」也。「詩經・鄭風・溱洧」：「士與女，殷其盈矣。」少男與少女們，擠滿了溱水與洧水的兩邊。亦「正」也，「尚書・堯典」：「以殷仲春。」「仲」是一年四季，每季三個月之中間的月分稱「仲」，正定仲春之日也。亦朝代名，商湯趕走夏桀，遷都於「殷」，並改國號為「殷」。亦通「慇」：痛也！「殷（音烟）」指赤黑色。「殷（音隱）」是表示聲音，如「殷其雷」。

◆今意

「殷」字有三種讀音：一、「殷（音隱）」表聲，今幾已不用。二、「殷（音烟）」指赤黑色，「殷紅」是紅中帶黑的深紅色，「嫣紅」是驕艷的紅色，兩者音同義不同。三、「殷（音因）」仍「盛大」、「深厚」之古義，如「殷憂衷懷」、「情意甚殷」等。「殷實」是指充實而富裕，但一般人常錯用為「忠厚老實」。「殷殷」有憂慮、盛大、殷勤等義，古「殷勤」與「慇懃」通，「宋・辛棄疾・摸魚兒」：「算只有慇懃、畫檐蛛網，盡日惹飛絮。」今者慣用「殷勤」。「殷商」是指富有的商人，亦商朝從盤庚遷都到「殷墟」以後的國名，「殷墟」亦作「殷虛」，在今河南省安陽縣，其出土之甲骨文亦稱「殷虛文字」。

行楷

金文

小篆

行書

金文：上半部是個「虎」，下半部是個「文」，表示老虎身上的花紋，整個字看起來像老虎行走，令人生畏，是個會意字。

小篆：由金文演變而來，形相似，義相同。

虔：楷書：由小篆字演變而來，仍有古義。

虔之簡化字與繁體字相同。

◆古義

《說文》：「虔，虎行貌。」像老虎行走的樣子，因虎行有威儀，引申為「敬」，恭敬、尊敬也，其本義即失。「左傳・成公・十六年」：「虔卜于先君也。」恭敬的在先君神位前占卜。亦「因」也，「忠」也，「詩經・大雅・韓奕」：「夙夜匪解，虔共爾位。」「夙夜」是早晚，「解」是古「懈」字，「共」乃古「供」字，忠也。早晚都不要鬆懈，忠心固守你的職責。「爾雅・釋詁」：「虔，固也。」堅信而不動搖。「詩經・商頌・長發」：「武王載旆，有虔秉鉞。」「載」是開始，「旆」指出發，「秉鉞」指執兵器，威武的湯王開始出發討伐夏桀，牢固的手執兵器。亦「殺」也，「強取」也！「左傳・成公・十三年」：「芟夷我農功，虔劉我邊陲。」「虔，劉，皆殺也。」強取・劫掠之意，強割我國莊稼，屠殺我國邊境百姓。亦「榩」也，「椹」也，古之砧扳也。「詩經・商頌・殷武」：「是斷是遷，方斲是虔。」砍松柏，搬回家，削好做成宗廟的柱墊。

◆今意

「虔」為「虎行」之本義早已不存，而多用於其引申義，但義指「殺戮」、「強取」、「掠奪」等之「虔劉」已不再使用，而專用於正面的「虔敬」、「虔誠」。卜卦、杯筊（茭）一定要誠敬地「虔卜」，心不誠則不靈。「杯筊」是在神前占卜吉凶的器具，古早是用蚌殼，後用竹或木剖成兩半，合為蚌蛤形，投擲於地，視其俯仰以斷吉凶。不論禮佛或上教堂，神前禱告一定要「虔誠」，恭敬而有誠意，否則非但不靈，且會受到神明懲罰！「虔婆」舊指巧言令色以取利之老婦，或指開妓院之老鴇或罵老太婆為賊婆之語，今則已少用！人只要有一顆「虔敬」、「虔誠」的心，不論做人處事，都已成功了一半！

行楷

甲骨文

金文

小篆

行書

甲骨文：上半部是個怪異的大頭，下半部是個面朝左跪坐的人形，人頂著一個大怪頭，像鬼之形，是個象形字。

金文：仍是大頭人身，但人已變站立之形。

小篆：在人的背後加了「厶」，「厶」乃古「私」字，表「鬼」之陰私也，不光明的一面也。

鬼：楷書：由小篆字形演變而來，仍有古義。

鬼之簡化字與繁體字相同。

◆古義

《說文》：「人所歸為鬼，從人，像鬼頭。」人死了以後就變成「鬼」。「爾雅・釋訓」：「鬼之為言歸也。」「鬼」就是人所歸的意思。「禮記・禮運」：「殺於地，列於鬼神。」「殺（意孝）」即「效」也，仿效山川高低之勢，陳列於鬼神之前。「詩經・小雅・何人斯」：「為鬼為蜮，則不可得。」「蜮（音欲）」是能含沙射人的動物，是鬼還是怪物，讓人看不清楚。故知「鬼」之本義為人死亡後的歸屬，或變成的「精靈」，靈「魂」。引申為「遠」，「詩經・大雅・蕩」：「內奰于中國，覃及鬼方。」「奰（音必）」是怒，「覃（音潭）」指波及，在國內激起的憤怒，波及到遠方。亦「黠」也，狡猾也，不以真誠相對，而以虛偽假意對應，令人捉摸不定。「鬼工」是技藝精湛，似非出自人工，如「鬼斧神工」。「鬼才」是心機靈巧聰明，「宋景文評唐人詩云：「太白仙才，長吉鬼才。」太白是李白，長吉指李賀。

◆今意

一般的說法，人死後靈魂會變成鬼，有寃屈的「鬼」是會報復的，所以有「白天不做虧心事，半夜不怕鬼敲門。」的諺語。古時稱「鬼」為「精靈」，魑魅魍魎者也，今者統稱「鬼」。做了虧心事，就會「疑心生暗鬼」。很多政治人物不識民間疾苦，只知「不問蒼生問鬼神。」農曆七月，鬼門關門啓，七月十五中元普渡，大家都拜好兄弟，讓孤魂野鬼「有衣有食有歸處」。「鬼」亦用於正面或揶揄之詞，如「酒鬼」、「色鬼」、「賭鬼」、「小氣鬼」、「好吃鬼」、「討厭鬼」、「鬼裡鬼氣」、「鬼頭鬼腦」等。朋友相交最怕是「各懷鬼胎」、「各出鬼點」！

行楷

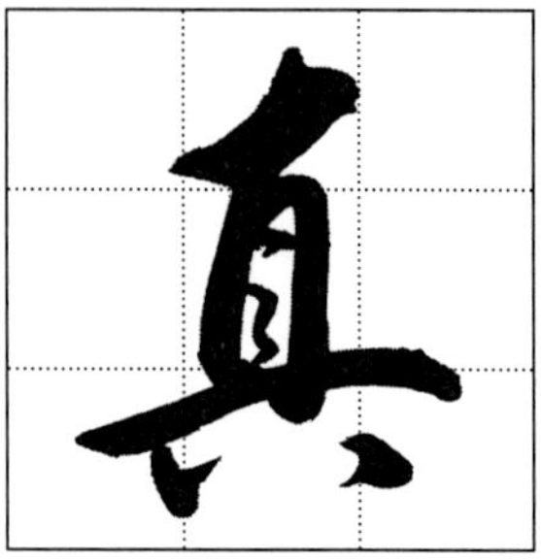

金文

小篆

行書

金文：是一個鼎的形狀，鼎腹極大，下有三足鼎立，鼎上是「㐱（音枕）」，表聲，是個形聲字。

小篆：由金文演變而來，變化較大。

真：楷書：由小篆筆法演變而來，已無鼎之古義。

真之簡化字與繁體字相同。

◆古義

「真」本指「鼎」，以「彡」表聲，表示「鼎」極珍貴也，故其本義為「珍貴」，後被借用為仙人登天之謂「真」，遂「以彡加玉」為「珍」，以專指珍貴。《說文》：「真，仙人變形而登天也。」修鍊形為氣，得天地之道者謂「真人」，「莊子•天下」：「關尹、老聃乎！古之博大真人哉！」關尹和老聃是古時博大的真人啊！「尹」是官吏名，「關尹」是關喜，「老聃（音單）」指「老子」、「成玄英疏」：「關尹、老子為古之大聖，窮微極妙，冥真合道，故謂之真人。」道家「真人」之名自此始也！另佛家謂證真理之人，亦曰「真人」。「真」亦「偽」之對義字，「莊子•漁父」：「真者，精誠之至也，不精不誠，不能動人。」本真是精誠的最高境界，如不精不誠，就不能感動別人。不虛假謂之「真」也！以命令發布官位職務亦謂「真」也！以命令發布官位職務亦謂「真」，故拜授實官謂「真除」。「真書」是書法的一種，亦即「正書」、「楷書」之謂。

◆今意

「真金不怕火煉，假的經不起考驗。」有部電影叫「假如我是真的」，既然是假的，就永遠真不了！有的人是「真人不露相」，有的是「半桶水恍盪」。談戀愛時都說自己是「真心真意不虛假」，「真情真誠全為真。」看起來都是「真性」、「真摯」的流露！有些事常「弄假成真」，有些人是「患難見真情」。但都要「眼見為真」，不能「信以為真」。常言道，「謊話是愈說愈糊，真理是愈辯愈明！」愛下棋的朋友一定知道：「觀棋不語真君子，起手無回大丈夫。」很多人對懸案都想瞭解「真相」，「真善美」是人生追求完美的最高境界！

行楷

甲骨文

金文

小篆

行書

甲骨文：左邊是一個裝食物的盤子，右邊是以右手執舀器，舀取盤中食物，是個會意字。

金文：左邊的盤子變成「皿」、「舟」字，古時「皿」與「舟」相同，右邊仍是手執舀器。

小篆：右邊是「舟」，右邊變成「殳（音書）」字。

般：楷書：由小篆筆法轉換而來。

般之簡化字與繁體字相同。

◆古義

「般」是盤的本字，其本義為自盤中舀食，自被借為他用後，遂加「皿」為「盤」以區別之。「般（音盤）」被借用為「樂」、「大」，「孟子・公孫丑上」：「及是時，般樂怠敖，是自求禍也。」在明暇之時，只知游蕩作樂，怠惰驕傲，這是自己去尋找禍害啊！「般（音班）亦辟也，《說文》：「般，辟也，象舟之旋。」「爾雅・釋言」：「般，還也。」盤桓、旋轉、還反也，「前漢・趙充國傳」：「明主般師罷兵。」「般」與「班」同。「禮記・投壺」：「賓再拜受，主人般還，曰：辟。」主送矢，賓受矢，賓客再次拜謝，主人側轉身對客人說：「不敢當」。亦有「移」、「運」之義，今作「搬移」、「搬運」。亦通「斑」，亂也。另亦通「鞶（音盤）」，大的帶子。通「磐（音盤）」，大的山石。「般若」是梵語，表示智慧等義，「般若」讀音為「缽惹」。

◆今意

「般」被借用後，其本義即已消失。「般」被借用後有三種讀音。一、（音盤）：流連、作樂之義，如「般桓」，即「盤桓」，流連不捨也。「般還」即「盤旋」，旋轉的樣子。「般遊」、「般樂」均指耽於遊樂，留連忘返。二、般（音班）：「這般」、「百般」之義。「宋・蘇軾・觀潮」：「廬山烟雨浙江潮，未到千般恨不消。」古通「般師回朝」，今則用「班師回朝」，古之「般動」、「般運」，今則寫作「搬動」、「搬運」。今亦多用於「普遍」，如「一般人都會做」、「一般情況良好」等，亦多用於「普通」，如「這東西很一般。」三、般（音缽）：般若（音缽惹）是梵語，表示「智慧」，「心經」：「觀自在菩薩，行深般若波羅密多時。」

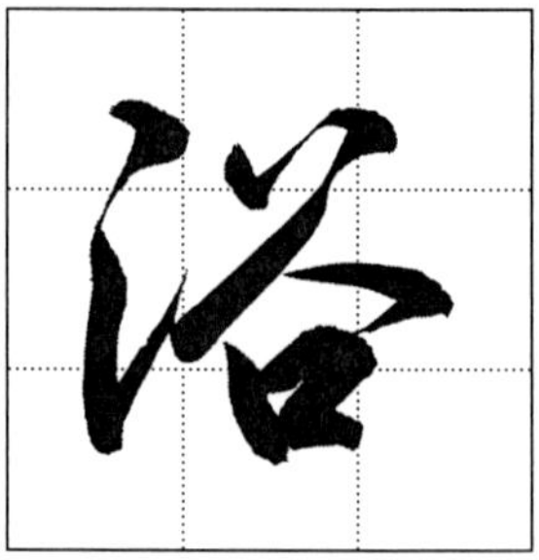
行楷

甲骨文

戰國文字

小篆

行書

甲骨文：下半部是一個大澡盆，上半部是一個面朝左，彎著腰在洗澡，身旁四個小點表示濺起的水滴，是個會意字。

戰國文：於楚帛書中出現，左邊是「水」，右邊是「谷」，此時變成左形右聲的形聲字。

小篆：由戰國文字演變而來，是小篆的筆法。

浴：楷書：由小篆字形轉換而來。

浴之簡化字與繁體字相同。

◆古義

《說文》：「浴，洒身也。」「洒（音洗）」者，滌也，除垢令潔也。「左傳・襄公。二十一年」：「在上位者洒濯其心。」在上位的人要洗滌他的心靈。「顏師古」注「急就篇」：「澡身曰浴。」洗滌身體之污垢曰俗。「楚辭・漁父」：「新浴者必振衣。」剛洗過澡的人，必定要先把衣服上的灰塵抖掉，再穿上。故知「浴」之本義為「洗澡」。今稱「沐浴」。然古之「沐」與「浴」有所不同。「沐」乃「濯髮」也，「詩經・小雅・采綠」：「予髮曲局，薄言歸沐。」「曲局」是彎曲，蓬亂。我的頭髮蓬亂，趕快回去洗頭。「楚辭・漁父」：「新沐者，必彈冠。」剛洗過頭，必先把帽上的灰塵彈掉，再戴上。「浴」亦引申為鳥飛忽上忽下，如浴空中也！

◆今意

自古至今，「浴」都指洗澡，「沐浴」則包含洗頭、洗澡。我最喜歡孔子的學生曾點說的：「浴乎沂・風乎舞雩・詠而歸。」春天裡，在沂水洗浴，在壇墠林木之下乘涼，然後高唱著歌兒回家。這種瀟洒人生，連孔老夫子都嘆說：「吾與點也！」現在結婚喜慶上，仍常祝賀新人「永浴愛河」，想天天泡在愛河裡，必先懂得愛的真諦，「愛」是由爪、胸、心、友組成，用手爪把心掏出來獻給朋友才是愛！否則愛河的水是會混的，必難「永浴」。現在還流行泡溫泉，洗鴛鴦浴，不用浴之於愛河，浴之於池可也！其實最好的是「日光浴」，每天十五分鐘，可防止骨質疏鬆！

行楷

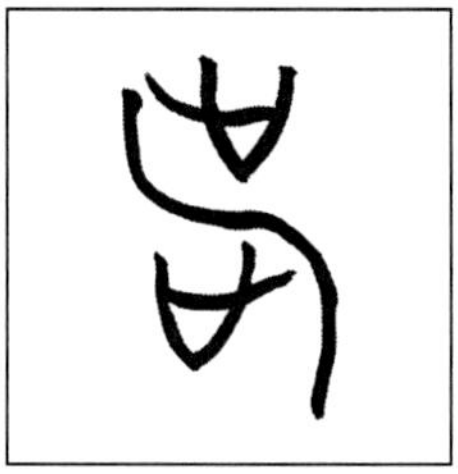

甲骨文

金文

小篆

行書

甲骨文：中間是一條彎彎曲曲的河流，河流兩邊各有一隻腳，腳趾朝前，一前一後趟水過河，是個會意字。

金文：左邊加了河流的象形，其義更明。

小篆：由金文演變而來，右邊變成上下兩隻腳的「步」字。

涉：楷書：由小篆字形轉換而來，仍有趟水過河之古義。

涉之簡化字與繁體字相同。

◆古義

《說文》：「涉，徒行厲水也。」連衣涉水稱「厲」。「爾雅・釋水」：繇膝以下為揭，繇膝以上為涉，繇帶以上為厲。」「繇（音由）」古通「由」字，由膝蓋以下的水流中渡過，僅提起衣服，稱「揭」，由膝蓋以上的水流中渡過稱「涉」，由腰帶以上則稱「厲」。「詩經・鄭風・褰裳」：「子惠思我，褰裳涉溱。」「惠」是「愛」，「褰（音千）裳」指用手提起衣服，「溱（音珍）」是水名，源出河南。您要是愛我想念我，就提衣涉水過溱河。故知「涉」之本義為趟水過河。由「過」引申為「歷」、「入」、「經歷」、「進入」。如「涉世未深」、「涉足不正當場所。」亦引申為「牽連」，如「牽涉」、「干涉」、「涉及」等。「涉獵」是涉水獵獸，顧及不到四周的狀況，「漢書・賈山傳」：「涉獵書記，不能為醇儒。」「醇儒」即「純儒」，後喻泛覽羣書，但未深研，雖博學，但不專精也。

◆今意

「涉」之古義至今未變，今仍常用「跋山涉水」來形容旅途勞頓，走過山路叫「跋」，越過河水叫「涉」。「涉獵」常用於自謙之辭，如「對某類書籍偶有涉獵」，表示讀過一點，但並不專精。不能用於誇獎別人「涉獵羣籍」或「涉獵頗廣」，那是意指別人學而不精，會引起誤會的。今處理國與國的外交事務稱「涉外事務」。有犯罪的嫌疑人稱「涉嫌人」，牽連到訴訟案件稱「涉訟」。對未成年的或還年輕的犯嫌，情節若非重大，法官多會以「涉世未深」予以輕判，但絕不能因此而涉不法，葬送大好前途！

行楷

金文

小篆

行書

金文：由上而下觀之，是兩顆「禾」的形象，中間是一隻右手抓住這兩顆「禾」，抓一顆禾為「秉」字，抓兩顆是「兼而得之」，是個會意字。

小篆：與金文相同，是小篆的筆法。

兼：楷書：由小篆筆法簡化一而來，已無執禾古義。

兼之簡化字與繁體字相同。

◆古義

《說文》：「兼，并也，從手禾，兼持二禾也。」「左傳・昭公・八年」：「孺子長矣，而相吾室，欲兼我也。」齊國卿大夫子尾剛剛去世，其堂兄弟子旗即假助子尾之子治家為幌子，兼併其家室。「漢・王符・潛夫論・明暗」：「君之所以明者，兼聽也；其所以暗者，偏信也。」「資治通鑒・唐太宗貞觀二年」：「魏徵答曰」：「兼聽則明，偏信則暗。」故知「兼」之本義為「執双」也，同時擁有或擔任兩個以上的事與物也。「兼味」是指食品在兩種以上。「唐・杜甫・客至」：「盤飧市遠無兼味，樽酒家貧只舊醅。」「無兼味」是指沒有兩種以上的菜肴。「兼善」是推己之善及於他人。「孟子・盡心」：「窮則獨善其身，達則兼善天下。」在窮困之時，單獨修善自身，在發遠之時，則將恩惠推及天下。「兼人」是二人之事，一人為之。「兼年」是指兩年，「兼兩」則是兩倍之車乘，蓋車有兩輪也。

◆今意

「兼」之古義至今未變，現在常說「兼而得之」，有「一舉兩得」之義。能力強的人或家庭負擔較重者，常「身兼數職」，本職之外還兼任另外一份差事。有的為了生計，一天打四、五份零工，為了賺錢，透支健康！「兼愛」是戰國時墨子所提倡的學說，現在大家喜歡說「博愛」，不論階級，無分貴賤，一律平等愛之！「兼毫」這名字取得很貼切，因為它是羊毫跟狼毫兩種毫毛所合製的毛筆。「兼祧（音挑）」是指在宗法上，一個人繼承上代兩房子嗣，以傳宗接代者，今則已無此現象也！「兼旬」是指二十天，今者，有用「兩旬」，而少有用「兼旬」。很多人白天上班或上課，晚上還「兼家教」，是很上進，卻很辛苦，要注意身體！

行楷

甲骨文

金文

小篆

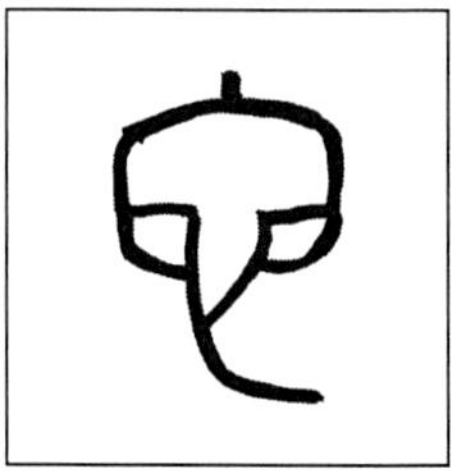

行書

甲骨文：上面是個蛇頭，下面是細長的蛇身，形體是個「它」，「它」是「蛇」的本字，是個象形字。

金文：仍是蛇的象形，蛇頭變大了。

小篆：由金文演變而來，頭愈變愈大，已無蛇形。

蛇：楷書：左邊加了「虫」旁，表示「蛇」是蟲類，很多地方將「蛇」稱為長蟲，符其名也。

蛇之簡化字與繁體字相同。

◆古義

「蛇」的本字是「它」。「它」的本義是「蛇」。《說文》：「它，蟲也，從蟲而長，象冤曲垂尾形，上古草居患它，故相同：無宅乎？」「玉篇」：「它，蛇也。」「它」被借為器物等無性別的第三身代名詞後，遂加「虫」旁為「蛇」，以與「宅」字區別，自此分義分用。「蛇」是圓筒狀的爬蟲類，以腹鱗抵物前進，頭呈三角形，尾較短者為有毒蛇，頭圓尾長，無毒牙毒腺者為無毒蛇。「唐・柳宗元・捕蛇者說」：「永州之野產異蛇，黑質而白章，觸草木盡死，以齧人，無禦之者。」「永州」是今湖南零陵縣，「白章」是白色的花紋，永州的野外，出產一種特別的蛇，黑皮白紋，碰著草木，草木皆焦枯盡死，人被咬到，無法醫治。「委蛇（音移）」是從容自得貌，亦對人隨和的樣子，表面隨和實為應付者稱「虛與委蛇」！「蛇蛇」是從容自在。「詩經・小雅・巧言」：「蛇蛇碩言」。誇誇而談的大話。

◆今意

「蛇」就是俗稱的「長蟲」，十二生肖中被稱為「小龍」，從古至今雖人人懼怕，但鍾愛者亦大有人在，「牤」也是古今中外許多原住民的部落圖騰，愈毒的蛇愈能入藥，可治療痲瘋、毒瘡、甲狀腺腫大，手腳抽筋等病症。「蛇」無足，却移動迅速，看布袋戲「史艷文」常聽到：「閹雞翅大，飛不如鳥；蜈蚣百足，行不如蛇（音俠）；時也、命也、運也，非我之不能也。」不得志之嘆也！年輕人喜歡看電影「蛇形刁手」，因為最終得勝。對於三姑六婆型，喜歡聊人是非的人，不敢得罪，又不得不虛應，只好「虛與委蛇」了！

行楷

甲骨文

金文

小篆

行書

甲骨文：上面是一個鐘形的樂器，表形；下半部是個「用」，表聲，是個形聲字。

金文：由甲骨文演變而來，上下結合為一體。

小篆：中間變成左右兩手在擊打鐘形樂器。

庸：楷書：由小篆子形演變而來，已無古義。

庸之簡化字與繁體字相同。

◆古義

「庸」之本義為「大鐘」，「鐘」為金屬製品，後人加「金」為「鏞」，古時「庸」、「鏞」相通，「詩經・商頌・那」：「庸鼓有斁，萬舞有奕。」「斁（音易）」是美盛貌，「有奕」指盛大，大鐘大鼓美而壯盛，大型的舞蹈真是盛大壯觀啊！「爾雅・釋樂」：「大鐘謂之鏞。」「詩經・大雅・靈臺」：「賁鼓維鏞。」「賁鼓」是大鼓，文王設樂慶功，架起了大鼓，懸掛著大鐘。引申為「用」，《說文》：「庸，用也。」任用也。「尚書・堯典」：「帝曰：疇咨若時登庸？」「疇」是「誰」，「咨」為語助詞，「若」指「順應」，「登庸」指「升用」。堯帝說：誰能順應天時被升用呢？「左傳・隱公，元年」：「無庸，將自及。」莊公說：不用這樣，災禍自然會降臨到他頭上。亦「功」、「勞」也，「尚書・舜典」：「有能奮庸熙帝之「載。」「熙」是發揚光大，舜帝說：有誰能奮發努力，發揚堯帝的功業。亦「常」、「平凡」、「愚笨」等，「庸庸碌碌」之謂也！亦通「傭」，受僱也，亦通「墉」，築有高牆之城也！「毋庸置疑」是不必懷疑。

◆今意

「中庸」有四種意思：一、四書之一，是孔子之孫子思所著，亦是禮記的篇名。二、行為品格不偏不倚，符合中道。三、學識才能均屬中等。四、普通的道理。「庸」今常用指「平常的」、「普通的」、「愚笨的」等，如「庸人」、「庸言」、「庸俗」、「庸夫俗子」的「庸言庸行」，一生平凡無奇，「庸庸碌碌」、醫術不高明或貽誤病情的「庸醫」，罵部屬無能的「庸才」，夫妻都昏昧無知的「庸夫愚婦」，在餐廳或營業場所打雜跑堂的稱「庸保雜作」。亦常用於政治的、有利害關係的「酬庸」。古代附於諸侯之小國稱「附庸」今者，凡內政、外交、軍事等均聽命於一大國者，稱「附庸國」！誇人才能出眾稱「庸中佼佼」！但讚意不足，最好少用！

行楷

甲骨文

金文

小篆

行書

甲骨文：左邊是一個以木板製成的枷鎖，右邊是一個面朝左跪著的人，雙手伸出被枷鎖銬住，

是個會意字。

金文：刑具文字化了，右邊的人形仍為象形。

小篆：右邊的人形中是雙手被扣住之義。

執：楷書：由小篆筆法演變而來，已看不出古義。

执：簡化字：是簡體字，行草的筆法，今用為簡化字。

◆古義

《說文》：「執，捕罪人也。」拘捕犯罪之人。「禮記・檀弓」：「君之臣不免於罪，則將肆諸市朝，而妻妾執。」「肆」是陳屍於市，您的臣下如果不能免罪，則應將其陳屍於市，其妻妾應予拘捕。「左傳・僖公・五年」：「遂襲虞，滅之，執虞公及其大夫井伯。」晉献公夜襲虞國，把虞國滅了，晉軍抓住了虞公和大夫井伯。故知「執」之本義為「拘捕」、「捉拿」。亦「持」也，「書・大禹謨」：允執其中。」守在中道上，無過，無不及也！「詩經・邶風・擊鼓」：「執子之手與子偕老。」握住你的手，與你白頭到老。由「握」引申為「把握」、「處理」、「禮記・樂記」：「請誦其所聞，而吾子自執焉。」請讓我說些我的見聞，請您自己斟玓掌握吧！亦引申為「塞」。「左傳・僖公・二十八年」：「非敢必有功也，願以間執讒慝之口。」「慝（音特）是心中藏有敵意，不敢說必有大功，只願以此杜塞惡人之口。又父之志同道合的朋友稱「執」，「禮記・曲禮」：「見父之執，不謂之進不敢進。看到父親的同輩友人，他如不叫進前，就不敢進前。引申為志同道合的朋友稱「執友」，「禮記・曲禮」：「執友稱其仁也。」志同道合的朋友都會稱讚他仁愛。

◆今意

今之婚禮中，仍常有「執子之手，與子偕老。」的誓言，因為它真誠、純樸、不虛華，所以流傳數千年。「遼史」：「將帥有克敵功，上親執手慰勞。」執手以示親切，今之握手亦然！「宋・柳永・雨霖鈴」：「執手相看淚眼，竟無語凝噎。」與「執手」偕老對照，何其悲苦凄涼！孔子曰：「富而可求也，雖執鞭之士，吾亦為之。」此鞭是指賤役之事，非後世執教者之教鞭，而今之教師，有誰敢執鞭以教？古稱為人婚嫁之媒妁為「執柯」，今已不用。「執照」是政府機關核發的憑証，如營業執照、駕駛執照等。民主國家經由選舉而執掌政權者稱「執政黨」，亦稱「在朝黨」，其相對而無執政權的稱「在野黨」，主要監督與制衡國政事務！

行楷

甲骨文

金文

小篆

行書

甲骨文：上半部是三顆明亮的星星，下半部是個人形，表示「參星」高照，是個象形字。

金文：上面三個「口」形變成「日」形，更加明亮，下半部多了三條斜線，表示三道光芒。

小篆：由金文演變而來，筆法文字化。

參：楷書：由小篆字形演變而來，已不見古義。

参：簡化字：是參的簡體字，今用於簡化字。

◆古義

《說文》：「曑，商星也，從晶，㐱聲。」「曑（音申）」「徐錯」曰：「其上晶，與星同義，今作參。」「參」是二十八宿之一，白虎七宿的最後一宿，亦即獵戶座的七顆亮星。「參星」在西，商星在東，出沒時間不同，故常用以比喻人之不能相見。「唐・杜甫・贈衛八處士」：「人生不相見，動如參與商。」人生有如東西兩星，一升一落，見不到面。「詩經・召南・小星」：「嘒彼小星，維參與日卯。」「嘒（音慧）」是小，「昴（音卯）」是星宿名，那忽明忽暗的小星，是參星和昴星。亦「參（音餐）與」、「參加」也。如「漢書・趙充國傳」：「朝廷每有大議，常與參兵謀。」常參與軍事謀畫之謂。亦「謁」也，「覲見」也。君主時代之彈劾稱「參奏」。亦有「參（音ㄘㄣ）差」、「參錯」義。「詩經・周南・關雎」：「參差荇菜，左右流之。」「流」通求，採摘也，長短不齊的荇菜，左右一起採摘。「參（音叁）」亦數字大寫的「三」，亦通「驂（音餐）」、「糝（音傘）」（米粒）、「摻（音攙）」混入等。

◆今意

「參」有四種讀音。一、讀（餐）：如「古木參天」、「憂喜參半」、「參加比賽」、「參他一本」、「參訪拜謁」、「投筆參軍」、「參與政治」等。二、讀（申）：中藥之一的「人參」，近代有人喜歡加草頭為「蓡」，以資區別，見不著面的「杳若參與商。」三、讀（ㄘㄣ），如「參差不齊」，「唐・李商隱・落花」：「參差連曲陌，迢遞送斜暉。」「參錯」指錯雜不齊等。四、讀（叁），即數字三的大寫。以上四者，以讀（餐）音之用法較為普遍，如參考斟酌的「參酌」，透徹頓悟的「參透」，參考校訂的「參校」，兩院制的國會中，有參眾兩院，代表全國人民的稱下議院或眾議院，代表特殊階層的稱上議院或參議院。

行楷

甲骨文

金文

小篆

行書

甲骨文：上半部是兩個「東」字，如獄訟之兩造，在廷東，下方是個「口」字，雙方各以其口，
各言其是，是個會意字。

金文：由甲骨文演變而來，下半部的「口」變成「日」，其義相同。

小篆：是金文的字形，篆書的筆法。

曹：楷書：上半部是兩「東」的合併字，已不見古義。

曹之簡化字與繁體字相同。

◆古義

《說文》：「曹，獄之兩曹也。」「兩曹」即兩造，「段玉裁」注：「兩曹，今俗所謂原告被告也。」「孫詒讓・正義云」：「造、曹、遭並聲近字通。蓋就訟者人兩至言之則曰造，就其聽訟之地言之則曰曹。」「尚書・呂刑」：「兩造具備，師聽五辭。」「師」即「士師」，指主管刑獄的法官，「五辭」即「五聽」，以五聲聽獄訟，求民情，一曰辭聽，二曰色聽，三曰氣聽，四曰耳聽，五曰目聽。獄訟的雙方都到場了，士師依據辭、色、氣、耳、目等五樣來斷案。故知「曹」之本義為訴訟之雙方也。引申為「輩」，如「我曹」、「爾曹」、「汝曹」。「唐・杜甫・春水生」：「吾與汝曹俱眼明。」「汝曹」即指你們這一輩。亦引申為「羣也」、「眾也」、「詩經・大雅・公劉」：「乃造其曹，執豕于牢。」「曹」是古「槽」字，指豬羣。於是到那豬羣，從豬圈裡捉來肥豬。古時分科辦事之官署亦稱「曹」。

◆今意

現在「兩曹」多用「兩造」，是法官在法庭上或判決書上的常用語。「汝曹」、「我曹」皆多用「汝輩」、「我輩」，但在戲劇、文言文中仍偶有用之，看見「曹」字，一定會想起三國時的風雲人物「曹操」。「世說新語・捷悟」：「魏武嘗過曹娥碑下，楊脩從……背上見題作「黃絹幼婦外孫齏臼」八字，行三十里始悟為「絕妙好辭」四字，歎謂楊脩曰：「吾才不及卿，乃覺三十里。」今仍常用此語讚美別人，消遣自己。除「曹操」外，自古以來，曹姓名人頗多，春秋魯國之「曹劌論戰」，三國時「曹植」的七步詩，清朝時「曹雪芹」的「紅樓夢」等。今則造、曹、遭、糟已不通用！

行楷

金文

小篆

行書

金文：外形是個「衣」，表形，裏面是個「谷」，谷表聲，亦有「多」義，衣物豐饒之義，
是個會意兼形聲字。

小篆：「衣」在左邊，「谷」在右邊，其義未變。

裕：楷書：由小篆字形轉換而來，仍見古義。

裕之簡化字與繁體字相同。

◆古義

「說文」：「裕，衣物饒也。」「饒」者富足也。「詩經•小雅•角弓」：「此令兄弟，綽綽有裕。」「今」是友善，「綽綽」指寬裕，這些友善的兄弟，彼此寬厚以待，「易經•晉卦」：「裕无咎，未受命也。」寬裕緩進，可免災害，因為尚未受到君主的任命啊！「荀子•富國」：「足國之道，節用裕民。」要使國家富足強盛的方法，就是要節約國家開支使老百姓富裕。引申為「寬」，「尚書•康誥」：「遠乃猷，裕乃以民寧，不汝瑕殄。」「猷」通「傜」，「瑕」是病，指責備、寬緩百姓的傜役，寬裕他們的衣食，人民安寧了，就不會責備您了，亦「指導」也，「尚書•康誥」：「若德裕乃身，不廢在王命！」「廢」是「止」，「在」是完成。用和順的美德指導自己，不完成王命，不停歇。「裕」亦「道」也，「通」謂之「猷裕」。古時「猷」與「由」通。

◆今意

「裕」之本義為「富裕」、「寬裕」至今未變，國家要「裕國，使國家「富裕」也要「裕民」，使人民生活「富裕」，日子過得「充實裕如」，每個人都希望自己能「光前裕後」，學業、事業都能有成，能使祖先光榮，子孫幸福無虞，或許不是每個人都能做到，但起碼別讓祖宗蒙羞，子孫抬不起頭來！「裕如」亦指從容的樣子，如「應付裕如，綽綽有餘。」「餘裕」是指多出來的，如食有「餘裕」、「財有餘裕」、「力有餘裕」等，百姓衣食錢財都有「餘裕」則「民寧，不汝瑕殄。」矣！但願國家領導人都能「以民為本•福國裕民。」幸甚！幸甚！

行楷

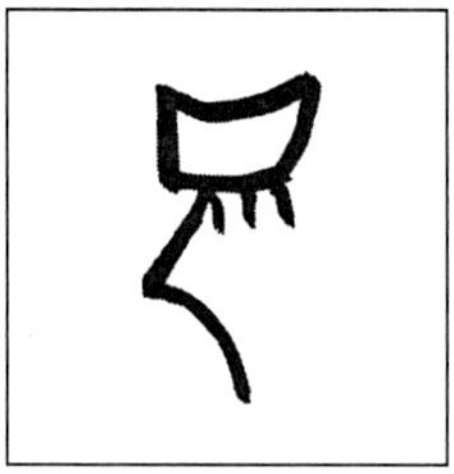

甲骨文

金文

小篆

行書

甲骨文：一個彎曲的腰桿，面朝右頂著一顆大頭，嘴巴下有三根鬍鬚，是個象形字。

金文：仍然是個面朝右的大頭樣，頂上有小帽，三根長長的鬍鬚是特徵。

小篆：三根鬍鬚放到左邊，右邊是「頁」，即「頭」形。

須：楷書：由小篆字形轉換而來，仍有古義。

须：簡化字：「頁」字由行草筆法簡化而來。「页」。

◆古義

「須」本指「鬍鬚」，是「鬚」的本字，是名詞，後被借為動詞後，另加「髟（音標）」為「鬚」，「髟」指長髮。《說文》：「須，面毛也。」「易經・賁卦」：「賁其須。」口邊的毛稱「髭」，兩頰稱「髯」，下顎稱「鬚」，「賁（音必）」卦的第三爻象徵卑者讚美尊者的美鬚。「漢書・高帝紀」：「美須髯。」指漂亮的鬚髯。亦「等待」也，「詩經・邶風・匏有苦葉」：「人涉卬否，卬須我友。」「卬（音昂）」是「我」，別人都渡過了河水，只有我沒有，因為我在等待我的朋友，亦有「要」、「宜」、「應」等義。「宋・高菊磵・清明」：「人生有酒須當醉，一滴何曾到九泉。」「唐・杜甫・聞官軍收河南河北」：「白日放歌須縱酒，青春作伴好還鄉。」「不須」即其反義，「不要」、「不必」、「不用」等。「唐・李白・行路難」：「且樂生前一杯酒，何須身後千載名。」「須臾」是指片刻。「禮記・樂記」：「禮樂不可斯須去身。」人不可片刻離開禮與樂。「須」亦與「需」通。

◆今意

今「須」、「鬚」已分義分用，「須要」與「需要」則同。看到「須」字，就會想起秦檜以「莫須有」三字誣殺岳飛之詞，揹負千古罵名。「唐・李白」是酒仙，在「將進酒」詩中「須」字用得透徹。「人生得意須盡歡」，「會須一飲三百杯」，「徑須沽取對君酌」。只須有酒，其他都不「須要」啦！在我們生活周遭，「生活須知」隨處可見，機關學校、各行各業都有「須知」，也是一種規定。諸如「入學須知」、「入伍須知」、「考試須知」、「旅遊須知」、「住院須知」等不勝枚舉！這些都是「必須」知道和遵守的。「須索無度」是指要求和慾望沒有限度，金山銀山都會掏空的！

行楷

甲骨文

金文

小篆

行書

甲骨文：像一個酒壺的樣子，上端是蓋子，中間是酒壺的肚子，最下是底座，是個象形字。

金文：與甲骨文相似，頂端的蓋子還多了左右兩個把手的形狀。

小篆：是甲骨文與金文的綜合體，壺肚子變大了些。

壺：楷書：由小篆字形演變而來，仍有古義。

壺：簡化字：依行草筆法簡化而來。

◆古義

「壺」之本義為盛裝酒漿的器皿。「孟子‧梁惠王」：「民以為將拯己於水火之中也，簞食壺漿以迎王師。」人民以為將把他們從水火中拯救出來，大家都拿竹器盛飯食，用壺裝滿酒漿，以迎接大王的軍隊。「左傳‧僖公‧二十五年」：「昔趙衰以壺飧從，徑，餒而弗食。」「徑」是「小路」，「餒」指飢餓，昔日君侯出亡之時，趙衰（音崔）帶了壺水和飯食跟隨，有時他獨自一人走小路，雖然飢餓，也不私吃食物。趙衰是春秋時晉國人，忠君而又廉潔。魯人施存，學道家之術，常懸一壺，中有日月，如世間，夜宿其內，自號「壺天」，人稱「壺公」，此本道家仙境之幻覺，比喻口雖小而裡面世界很大，故有「壺小乾坤大」之語。「壺」是瓜屬類，「詩經‧豳風‧七月」：「七月食瓜，八月斷壺。」「壺」通瓠，即葫蘆。七月吃瓜果，八月摘下葫蘆。

◆今意

「壺」與「壼」是完全不同的兩個字。「壼（音捆）」是古時宮裡的通道，或指宮中之事，如「壼政」，亦指古時婦女所居之內室，婦女的品德稱「壼範」。很多人將這兩佔字誤用、混用，應該注意！如給亡婦的輓聯寫成「壺範長存」，就鬧大笑話啦！「五代‧李煜‧漁父」：「一壺酒、一竿身，世上如儂有幾人。」逍遙快活也！「二十五史彈詞」：「一壺濁酒喜相逢，古今多少事，都付笑談中。」瀟灑脫俗！「唐‧王昌齡」：「洛陽親友如相問，一片冰心在玉壺。」心胸坦蕩也！「壺中天」是指別有洞天，語出「後漢書‧房長齡傳」，而「夜壺」就小多啦！只能裝便溺之物，現已罕用也！

行楷

金文

小篆

行書

金文：上半部是兩個張大嘴在打呵欠的人形，下半部是一張大「口」，口中有一橫表示呵欠所出之氣，是個會意字。

小篆：上方的人形變成了「立」，表聲，此時變成形聲字。

替：楷書：由小篆字形演變而來，已不見古義。

替之簡化字與繁體字相同。

◆古義

《說文》：「古作暜，廢也。」「爾雅・釋言」：「替，廢也，滅也。」廢除廢棄、滅絕也。」「詩經・大雅・召旻」：「胡不自替？職兄斯引。」「職」是此也，「兄」乃古「況」字，指情況，為什麼不自我廢退呢？這種情況正在蔓延。「國語・晉語」：「今德替也。」通德滅絕之謂。「詩經・小雅・楚茨」：「子子孫孫，勿替引之。」「引」是延續，但願子子孫孫不要荒廢，要永遠傳承。故知「替」之本義為「廢止」、「廢棄」。引申為「停止」、「止待」，皆止住也！「爾雅・釋詁」：「替，止也，待也。」亦引申為「衰」，「晉書・慕容暐載記」：「風頹化替。」風氣衰敗之謂也。亦「代」也，代替也。「唐書・杜審言傳」：「今且死，固大慰，但恨不見替人。」沒有「接替」、「代替」之人也。「清・梁紹壬・圈兒詞」：「相思欲寄無從寄，畫個圈兒替。」不識字的妻子想寄相思，却沒法寫下寄出，只有畫個圈兒代替。

◆今意

「替」多用於「代替」，「唐・杜牧・贈別」：「蠟燭有心還惜別，替人垂淚到天明。」「宋・晏幾道，蝶戀花」：「紅燭自憐無好計，夜寒空替人垂淚。」此指物與景的「替代」。老公有外遇，老婆常聽到的勸語是：「千萬別生氣，氣死沒人替。」其實應該改為：「千萬別生氣，氣死便宜她人替。」人是可以代替的，項羽見秦始皇出巡都說：「彼可取而代之。」何況一般常人！「寒來暑往，歲月更替」是大自然的運作。現在兵役有「替代役」，武打電影有「替身」，工廠生產線二十四小時運轉，「替工」不可或缺，最怕是工作不認真，老板隨時找人「替換」您。常聽人說：「替古人担憂」！那是根本不必憂慮的事情，瞎操心啦！

行楷

金文

小篆

行書

金文：上半部是一隻像獅虎般的猛獸，右下方是一隻右手，隻手抓住猛獸，極為勇敢，左下方是「甘」，表聲，是個會意兼形聲字。

小篆：由金文演變而來，猛獸變成「爪」，「手」變「攴」。

敢：楷書：由小篆形體演變而來，已無古義。

敢之簡化字與繁體字相同。

◆古義

《說文》：「敢，進取也。」果決敢行也，「國語・晉語」：「彊毅果敢。」「廣雅・釋詁」：「敢，勇也，犯也。」「尚書・益稷」：「誰敢不讓，敢不敬應？」有誰敢不讓賢？敢不恭敬應承您的命令？「尚書・盤庚」：「無或敢伏小人之攸箴！」「或」是有人，「伏」指憑藉，「箴」乃規勸，不要有人敢於藉著小民的規勸，反對遷都。故知「敢」之本義為「果敢」、「進取」。如加「不」字，即表反義。「唐・西鄙人・哥舒歌」：「至今窺牧馬，不敢過臨洮。」「唐・李白・題峰頂寺」：「不敢高聲語，恐驚天上人。」引申為冒昧之辭，以卑觸尊或與人對語，自言冒昧之謂。如「敢問貴庚」？「敢請賜教」等！亦用於推想、猜測之辭，如「敢情您真的愛上了她！」亦表謙遜，如「豈敢」、「怎敢」、「不敢」、「哪兒敢」等。

◆今意

「敢」是正面的，果決敢行的，「不敢」卻完全相反，常聽人問「你敢不敢發誓？」「敢不敢打賭？」「敢」就是有種，「不敢」就是孬種。「男子漢敢做敢當！」有些人「敢說」、「敢做」，却「不敢當」，一旦有事兒，就躲人後，把別人往前推，有些人畏懼權勢，常「敢怒不敢言」！「石敢當」是古時在里巷之口立石碑，上刻「石敢當」三字以鎮壓不祥，保障鄉里，今之大陸農村仍有見之！「敢死隊」多指軍中因任務需要，招募敢於赴死之士，視死如歸者也，近代史中，以二戰時日本神風特攻隊（又稱敢死隊）編制最大，人數最多！「不敢」是謙辭，常以「不敢或忘」表示對人所託之事牢記在心。現在「直言敢諫」的人少，也許都過於保護自己吧！

行楷

甲骨文

金文

小篆

行書

甲骨文：左邊是兩束「麻」，右邊是手執木棒拍打麻條，使之鬆散，是個會意字。

金文：兩束麻簡化了，麻下多了個「月」，夜間工作之義。

小篆：由金文演變而來，其義相同。

散：楷書：由小篆字形演變而來，已無古義。

散之簡化字與繁體字相同。

◆古義

「散」之本義為使麻條「鬆散」，引申為「分開」、「分離」，是「聚集」的對義字，「易經・說卦」：「雷以動之，風以散之，雨以潤之。」震為雷，用以鼓振萬物，巽為風，用以散通萬物，坎為雨，用以滋潤萬物。「禮記・曲禮」：「積而能散，安安而能遷。」聚集財物而能散發需要的人，在安定環境中能悠然，不安定的環境亦能泰然。「禮記・大學」：「是故財聚財民散，敗散則民聚。」如此，雖斂聚了財富，民眾却離開了，反之，若財貨分散於民，人民就會團聚過來。又不自撿束謂「散」，如不遵禮法之儒生稱「散儒」，無用之本稱「散木」，「莊子，人間世」：「散木也，以為舟則沉……是不材之木也，無所可用。」閒冗曰「散」，「韓愈・進學解」：「投閒置散，乃分之宜。」「分」是本分，「宜」指應該，安置在閒散的位置上，不具重要性也！藥石粉曰「散」，如「強胃散」。亦琴曲名，如「晉・嵇康」之廣陵散。「散」亦古酒尊名。

◆今意

「散」現有兩種讀音：一、散（音傘去聲）：「唐・李白」：「人生在世不稱意，明朝散髮弄扁舟。」，「誰家玉笛暗飛聲，散入春風滿洛城。」及「天生我材必有用，千金散盡還復來。」「宋・歐陽修・浪淘沙」：「聚散苦匆匆，此恨無窮。」李白喜用「散」字，雖妙唯肖！另心情不好的人需要「散心」，老年人最好的運動是「散步」，冗長的會議最想聽到的是「散會」。二、散（音傘）：不團結常被譏為「一盤散沙」，閒散無事之人稱「散人」，臨時僱工稱「散工」，不用韻，不對仗的文章稱「散文」，粉末狀的藥劑稱「散劑」，商品由整包分成小包出售稱「散裝」，載運貨物，均散裝於船艙內者，稱「散裝貨輪」！

行楷

金文

小篆

行書

金文：上半部是個「月」，像個帽子的形狀，下半部是個「取」，用手把別人的帽子取走，有冒犯之義，是個會意字。

小篆：由金文演變而來，形相似，義相同。

最：楷書：由小篆字形演變而來，「月」變成了「日」。

最之簡化字與繁體字相同。

◆古義

《說文》：「最，犯而取也，本從月，俗從曰。」冒然奪取他人之帽也。古之軍功，上曰「最」，下曰「殿」，「最」者，突前也，「殿」者，護後也。「最」之本義為突然上前取人之帽，「冒犯」也。引申為「軍功最突出之謂，亦「極」也、「尤」也、「史記・蕭相國世家」：「高祖以蕭何功最盛，封為鄼候。」「南唐・李後主・破陣子」：「最是倉皇辭廟日，教坊猶奏別離歌。」「宋・趙德麟・蝶戀花」：「最恨多才情太淺，等閒不念離人怨。」有才華的人，每多薄情。「清・趙翼・野步」：「最是秋風管閒事，紅他楓葉白人頭。」有種歲月催人老的無奈！亦「聚」也，「玉篇」：「最，聚也。」「公羊傳・隱公・元年」：「會，猶最也。」「最」者，聚也。亦引申之為「總計」。「最凡」是計要之多少以為契要，「最目」指「凡目」、「總目」，兩者均指總括全書意旨所成的目錄。

◆今意

「最」之冒犯本義早已不存，今多用於「副詞」，如「第一的」、「最好的」、「最突出的」、「最特殊的」、「最後的」等，現在一個「最」字還不足表達心意，一連要用上好幾個，如「妳是我最最最心愛的」，這種用法有時會弄巧成拙的，莫非還有排名二、三的人？兩國因貿易關係訂定通商條約，能獲得最優惠之利益者稱「最惠國」。「最後通牒」常見於國際外交文書，一般個人與羣體亦有用之，開戰或開始行動前的警告意味極濃！亦常用於反義，如「你最好別被我逮到！」「你最好識相點！」人的一生總有快樂與悲傷，每個人都在進求幸福大於痛苦的「最大幸福」！每次聚會，我「最怕」唱蔡琴的「最後一夜」，害怕真的是「最後一唱」啦！

行楷

甲骨文

金文

小篆

行書

甲骨文：上半部是兩隻手，下半部是一堆土形，以雙手捧土，土生萬物，極為珍貴，是個會意字。

金文：上半部為甲骨文之形，下半部加了「貝」，「貝」是古代貨幣，亦表珍貴之義。

小篆：由金文演變而來，其義相同。

貴：楷書：由小篆字形演變而來，除「貝」外，已無古義。

贵：簡化字：「貝」採行書筆法簡化之。

◆古義

《說文》：「貴，物不賤也。」「賤」指價錢便宜或地位低微。「尚書‧旅獒」：「不貴異物賤用物，民乃足。」不看重奇珍的物品，不輕賤日常用品，百姓才能因而富足。「左傳‧昭公‧三年」：「履賤踊貴。」「踊」是斷腿者所使用的義肢，鞋子便宜，義肢昂貴之義。「漢書‧食貨志」：「糴甚貴傷民，甚賤傷農。」「糴（音笛）」是買進穀類，買米價格太高會傷到百姓，賣出的米價太低會傷到農民。故知「貴」之本義為「貴重」、「珍貴」。引申為位尊曰「貴」，「玉篇」：「貴，高也，尊也。」「孟子‧萬章」：「不挾長、不挾貴。」「用下敬上，謂之貴貴。」不倚老賣老，不自恃位高。下位敬重上位，稱之為尊重貴人。亦引申為「重」，輕之對義也，「禮記‧中庸」：去讒遠色，賤貨而貴德，所以勸賢也！」摒除讒言，遠離女色，輕視財貨而重視道德，以此勸勉賢者。亦用於敬辭，如「貴姓」、「貴庚」、「貴寶地」。「貴」亦貴州省的簡稱。

◆今意

「貴」之本義至今未變，其引申義亦延用迄今。「洛陽紙貴」是指「晉代‧左思」所寫之「三都賦」，時人競相傳寫，一時「洛陽」之紙價昂貴起來，三都是指蜀都、吳都、魏都。現在商品供應鏈有其便捷之處，但農產品的產地價與市價兩者相差懸殊，所謂穀賤傷農民，蔬果亦然！「唐‧杜甫」：「富貴必從勤苦得，男兒須讀五車書。」「明‧馮夢龍」：「富貴本無根，盡從勤裏得。」兒時常聽母親講解這個道理，雖古詩今用，仍為至理名言。「貴」亦常用於客謙之敬辭，如「請問貴姓？」「今年貴庚？」「貴府府邸何處？」等！現在有些年輕人比較直截了當，您若問他「貴姓」、「貴庚」、「台甫」，往往聽不懂，會給您看白眼的！

行楷

金文

小篆

行書

金文：左邊是個「巛」，是古「川」字，右邊是個人形，特別突顯了大大的腦袋和眼睛，看著順流而下的川流，是個會意字。

小篆：左為「川」，右邊變成「頁」，是人的頭部。

順：楷書：由小篆字形轉換而來，仍有古義。

顺：簡化字：「頁」以行書筆法簡化之。

◆古義

《說文》：「順，理也，從頁從巛，會意，川流也。」「釋名‧釋言語」：「順，循也，循其理也。」「易經‧說卦」：「昔者聖人之作易也，將以順性命之理。」從前聖人創作易經之時，是以之順合性命的道理。故知「順」之本義為「循理」，如同河川順流而下，乃循自然之理也！引申為「從」、「服」也。「玉篇」：「順，從也。」「詩經‧大雅‧抑」：「有覺德行，四國順之。」「有覺」是高大正直，如果有高尚正直的德行，四方諸侯就會順服。「禮記‧月令」：「以明好惡，順彼遠方。」明辨好惡，使遠方各國都敬服順從。亦「和順」也。「禮記‧中庸」：「父母其順矣乎！」能做到這樣，父母親心中可以和順如意了。「易經‧豫卦」：「天地以順動，故日月不過，而四時不忒。」「忒（音特）」是差錯，天地順時序和順而動，所以日月運行沒過失，四季更替無差錯。

◆今意

「順」與「逆」是對義字，「順我者昌，逆我者亡。」語出「莊子‧盜跖」，其惟我獨尊，他人只能順從的驕狂古時常見，今雖有獨裁者、霸道者，已不復古人兇殘！很多人會因為工作、生活、家庭等環境的無奈，採「逆來順受」的態度，委屈求全，息事寧人。祝人旅途或工作順利常說「順風順水」、「一路順風」、「一帆風順」，古之百姓要當「順民」，領導者才會「順心」，現在領導者要「順應民意」，人民對其施政才會順心！「順差」、「逆差」是指對外貿易的差額，「順口溜」是民間流行的口語韻文，俏皮有趣！「順藤摸瓜」是循著線索追根究柢。「順祝」、「順頌」、「順遂」等是書信結尾的問候用語！

行楷

小篆

行書

小篆：左邊是個「矢」，箭也，表義，右邊是「豆」，一種裝食物的器皿，表聲，古時弓長箭短，
故以弓為度，此字左邊是「箭」，即「短」也，是個會意兼形聲字。

短：楷書：由小篆字形轉換而來，仍有古義。

短之簡化字與繁體字相同。

◆古義

《說文》：「有所長短，以矢為正。」長是短的對義字。「禮記・月令」：「制有小大，度有長短。」祭服的大小和長短，都有一定的制度。古時弓長箭短，故以弓為度。「尚書・堯典」：「日短星昴，以正仲冬。」「昴（音卯）」是星名，西方白虎七宿之一，白晝時間最短，昴星在黃昏時出現在正南方，把這天定為冬至。故知「短」之本義為「不長」。亦引申為「缺少」，「論語・雍也」：「有顏回者，好學，不遷怒、不貳過，不幸短命死矣！」過失曰「短」，顏淵不貳過，同樣的事不犯第二次過錯。講別人的壞話亦曰「短」，「史記・屈原傳」：「上官大夫短屈原於頃襄王。」說屈原的壞話。另不長壽亦曰「短」，「尚書・洪範」：「凶、短、折。」未齡曰凶，未冠曰短，未婚曰折。亦即還沒有到換牙齒的年齡就死了叫凶，未滿二十歲稱「短」，沒結婚而亡稱「折」。

◆今意

人與人、羣與羣、國與國常「一爭長短」、一較高下、一分勝負，「人生碌碌，競短論長，却不道榮枯有數，得失難量。」人比人、氣死人，古來多少英雄豪傑，多有「氣短」之時，但千萬別因「短見」而「尋短」。兒時讀書就有「勿道人之短，勿說己之長。」的句子，長大後却發現很多人「樂道人之短，愛說己之長。」是老師沒教好？還是家長「護短」？吾未知也！常聽人說：人生苦短，要及時行樂。」但如沒多讀兩本書，多學一技之長，所行之樂亦有限矣！「宋・雷震・村晚」：「牧童歸去橫牛背，短笛無腔信口吹。」這種悠然自得的快樂是不花錢的！「短波」是無限電波的波長，「短波廣播」一般用於國際或國內遠距離的無線電廣播！

行楷

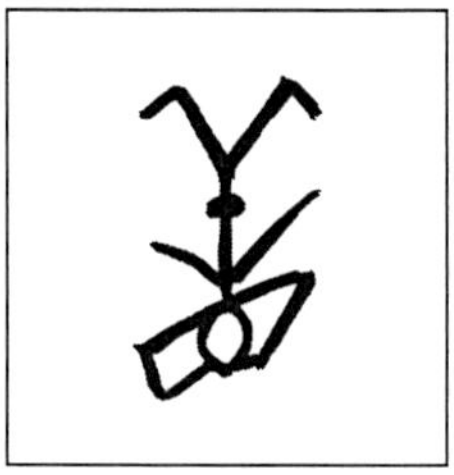

甲骨文

金文

小篆

行書

甲骨文：上半部是「羊」，祥也，下半部是眼睛，目也，以目視羊，吉祥、美好，是個會意字。

金文：下半部變成兩個「言」，兩人都在說吉祥話。

小篆：由金文演變而來，「言」是小篆的筆法。

善：楷書：言從口出，以口代言，仍有古義。

善之簡化字與繁體字相同。

◆古義

《說文》：「善，吉也。」「廣韻」：「良也，佳也。」「尚書・湯誥」：「天道福善禍淫。」上天的法則是降福給善良的人，降禍給邪惡的人。故知「善」之本義為「吉祥」、「美好」。引申為「親善」，「國策・秦策」：「齊楚之交善。」亦「多」也，「詩經・鄘風・載馳」：「女子善懷，亦各有行。」「行」指原因，女子多愁善感，所憂各有不同。亦「能」也，「禮記・少儀」：「問道藝，曰：子習於某乎？子善於某乎？」詢問別人學問和技藝時，要說：您經常研習那種學術嗎？您擅長那種技藝嗎？「道難故曰習，藝易故稱善。」亦「是」、「同意」、「贊成」也，「孟子・梁惠王」：「王如善之，則何為不行？」孟子對齊宣王說：王如贊成我所說的話，為什麼不實行呢？「正字通」：「與人交歡曰友善。」亦通「膳」，「莊子・至樂」：「具太牢以為善。」祭祀供品中有牛的稱太牢，準備了太牢的膳食來款待。

◆今意

「善」是「惡」的對義字，「善」是美好的心性與行為，是「善心」、「善行」、「善事」、「善舉」的結合，所以每人都應「日行一善」以發揚人性「善良」的光輝！「善惡到頭終有報！」春聯常見「積善人家慶有餘」句，不積德行善，何來餘慶？「隱惡揚善」是種美德，但許多人專愛揭人瘡疤，此絕非「善意」！唐朝時稱琵琶師為「善才」，「白居易・琵琶行」：「曲罷常教善才服。」今統稱「琴師」、「樂師」、或「老師」。「善哉」是讚美的話，論語與佛經都有引用，今人則常以「讚」字表之！「善緣」不僅是與佛門的緣分，更是人與人之間所結的好緣分。世上「善男善女」都應長懷「善柔」，其心「善善」，則惡必遠離也！

行楷

金文

小篆

行書

金文：外形是一間屋子，裏面是個「畐」，表聲，「畐」是裝酒的甕，亦是「福」的古字，是個會意兼形聲字。

小篆：由金文演變而來，形相似，義相同。

富：楷書：由小篆字形轉換而來，仍有古義。

富之簡化字與繁體字相同。

◆古義

《說文》：「富，從宀，畐聲，畐古福字。備也，一曰厚也。」準備妥當，豐厚之謂也！「尚書・洪範」：「五福：一曰壽，二曰富，三曰康寧，四曰攸好德，五曰考終命。」「富」居五福第二位。「史記・貨殖列傳概論」：「是故本富為上，末富次之，姦富最下。」所以靠農家根本事業而致富，是最上等的，靠工商等末梢事業致富的次之，靠盜賊致富是最下等的。故知「富」之本義為「富足」、「富有」。「莊子・天地」：「行不崖異之謂寬，有萬不同之謂富。」行為沒有形跡稱為「寬」，萬物雖不相同，但都具備稱「富」。「易經・繫辭」：「富有之謂大業，日新之謂盛德。」地生豐富萬物叫偉大功業，每天都有創新稱盛美德行。「禮記・祭義」：「殷人貴富而尚齒。」殷代的人以富裕最尊貴，但也同時崇尚年長的人。亦通「福」。「詩經・魯頌・閟宮」：「俾爾壽而富。」使您長壽而有福。

◆今意

「富貴」是可遇而不可求的，連孔老夫子都說：「富而可求也，雖執鞭之士，吾亦為之：如不可求，從吾所好。」「富貴」要取之有道，孔子亦說：「富與貴，是人之所欲也；不以其道得之，不處也。」現在很多政治人物與商人，其「富貴」是取之無道的，棄孔子之言如敝屣。古時以農為本，靠農業致富是上等，今者滄海桑田，企業掛帥，以商「致富」成「首富」。所謂「民富國盛，國富兵強。」，現在有錢的人很多，但「富而好禮者少」。「富貴花」是牡丹花的別名，牡丹繪成，常題「花開富貴」以譽之！我生於貧窮，長於貧困，從未知「富裕」之威，見「富豪」人家亦從不羨慕，「富貴於我如浮雲。」常吟：「榮華花上露，富貴草頭霜。」句自娛，不亦樂乎！

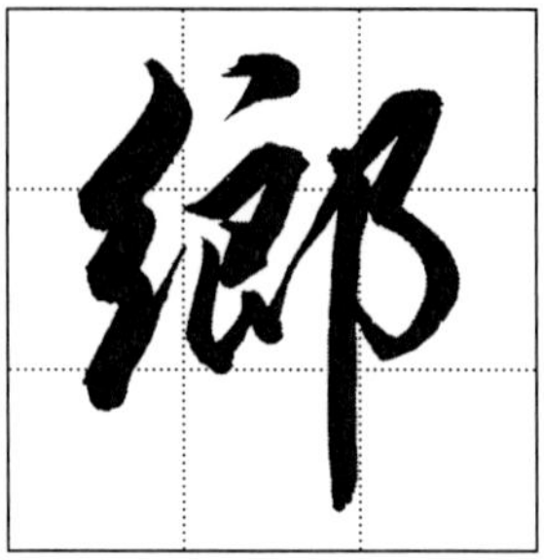
行楷

甲骨文

金文

小篆

行書

甲骨文：中間是一個盛有食物的器皿，兩邊是兩個面對面跪坐的人，用酒食招待賓客，是「饗」的本字，是個會意字。

金文：較甲骨文簡化，其義相同。

小篆：左右變成「邑」字，指人聚集居住的地方。

鄉：楷書：由小篆字形演變而來，已無饗客古義。

乡：簡化字：取左邊三撇，將右邊「郎」字簡化掉了。

◆古義

「鄉」是「饗」的本字，自被借為「鄉里」後，即「加食為饗」，其以食待客之本義即失也！「釋名」：「鄉，向也、眾所向也。」眾人所聚集之處所也。「前漢‧食貨志」：「五家為鄰，五鄰為里，四里為族，五族為黨，五黨為州，五州為鄉，是萬二千五百戶也。」亦「所」也，「詩經‧小雅‧采芑」：「于彼新田，于此中鄉。」「中鄉」是「鄉中」的倒文，在那新的田地裡，在這鄉裡，採摘芑菜。「鄉里」是指「家鄉」，亦指「同鄉」之人，古時亦有稱自己之妻為「鄉里」者。「鄉」之讀音為「想」時，與「響」、「享」、「饗」通。「鄉」之讀音為「巷」時，則與「向」、「嚮」通，指室內之窗戶也，亦有「歸仰」、「嚮往」之義，亦「曩昔」、「從前」也，「論語‧顏淵」：「鄉也，吾見於夫子而問知」，日前我見夫子時問「知」的道理。

◆今意

現在的「鄉」是指縣內百戶以上的村莊稱「鄉」，不滿百戶者，得合併其他村莊編為一「鄉」，管理一鄉公共事務的單位稱「鄉公所」。由「鄉民」選出代表組成「鄉民代表會」，以監督鄉公所之施政業務。「鄉原」即「鄉愿」，「論語‧陽貨」：「鄉原，德之賊也。」在「鄉里」間，故做忠厚老實，實際上欺名盜世，有些人將「鄉愿」誤用指兩邊討好，不得罪人，實不宜也！我很喜歡「美不美、鄉中水、親不親、故鄉人。」的句子，遊子在外，喜吟「唐‧王維‧雜詩」：「君自故鄉來，應知故鄉事。」「歸鄉」的人怕吟「唐‧賀知章‧回鄉偶書」：「少小離家老大回，鄉音未改鬢毛衰。」「　」是大陸的簡化字，把「郎」去掉了，對於外地工作或求學的女姓，如「歸鄉不見郎」，恐添幾許惆悵！

行楷

金文

小篆

行書

金文：左上方是「𢆶(音幽)」，微小也，右邊及下方是個「戍」，微小的守衛力要保鄉衛國，是很危險的，是個會意字。

小篆：與金文構造相同，形體稍有變化。

幾：楷書：由小篆字形演變而來，隱約有古義。

几：簡化字：是茶几的「几」，亦是「幾」的簡體字，今用於簡化字。

◆古義

《說文》：「幾，殆也，危也，從丝從戍，戍兵守也，丝而兵守者，危也。」「丝」是微小，以微小之兵力守衛家國是很危險的。「爾雅・釋詁」：「幾，危也。」「左傳・宣公・十二年」：「利人之幾，而安人之亂，以為已榮，何以豐財？」乘人之危而謀取自己的利益和安定，作為自己的繁榮，又怎能豐富財物呢？「尚書・顧命」：「疾大漸，惟幾。」「漸」是劇烈，周成王說：我病得很厲害，病情很危險。故知「幾」之本義是「危殆」，引申為「接近」，「易經・小畜」：「月幾望。」接近陰曆十五月圓之時。「詩經・大雅・瞻卬」：「天之降罔，維其幾矣！」上天降下罪網，竟是那麼接近！「孟子・梁惠王」：「王之好樂甚，則齊國其庶幾乎！」大王如愛好音樂到極點，那麼齊國的政治就接近治平了。亦通「機」，如「日理萬幾。」亦通「冀」，希望也。「左傳・哀公・十六年」：「國人望君如望歲焉，日日以幾。」

◆今意

「幾」之「危殆」本義今「幾乎」不用，而多用於詢問數量的形容詞，如有幾個人贊成？」「胡適・生查子」：「幾次細思量，情願相思苦。」「吳歌」：「月子彎彎照幾州，幾家歡樂幾家愁，幾家夫婦同羅帳，幾家飄散在他州。這「幾」字用得透澈貼切！「二十五史彈詞」：「青山依舊在，幾度夕陽紅。」却更顯凄涼！當「幾」讀音為「基」時，多用於「接近」、「將及」、「差不多」之副詞，如只差一丁點兒的「幾乎」，「令異於禽獸者，幾希？」「論語・里仁」：「事父母幾諫。」「幾」者，微也，和順也，父母有過，下氣怡色，柔聲以諫是也。數學中有研究物的點、線、面、體的「幾何學」、「幾何體」、「幾何級數」、「幾何圖形」等，這跟「人生幾何，對酒當歌。」完全兩回事！

行楷

小篆

行書

小篆：左邊是個「歺」，像殘骨之形，表形，右邊是上下兩個「戈」，是兩戈互相傷害、殘殺之義，表聲，是個會意兼形聲字。

殘：楷書：由小篆字形轉換而來。

残：簡化字：以行書筆法簡化之。

◆古義

《說文》：「殘，賊也。」「賊」者，害也。「詩經・小雅・四月」：「廢為殘賊，莫知其尤？」「廢」指習慣，「尤」是罪過，習慣做殘害人之事，難道沒人知道他的罪行？故知「殘」之本義為持戈互砍所造成的傷害、殘殺。引申為「惡」，「書・泰誓」：「取彼凶殘。」提取那凶惡之人。「殘」亦「踐」也，「釋名」：「殘，踐也，踐使殘壞也。「踐」者，以腳踐踏也，「殘」亦指「殘缺」，「餘賸」，「唐・李白・憶秦娥」：「西風殘照，漢家陵闕。」蕭瑟的西風，夕陽的餘暉，照著那漢朝帝王的荒塚和城樓。「唐・李商隱，無題」：「相見時難別亦難，東風無力百花殘。」花兒雖有餘賸，然亦將垂盡矣！「餘賸」即「剩餘」，「唐・杜甫・奉濟驛重送嚴公」：「江村獨歸處，寂寞養殘生。」「殘生」指剩餘的人生。另食餘曰「殘」，如「殘羹剩肴，杯盤狼藉。」

◆今意

「殘」之本義至今未變，不論兩者之「相殘」，或一人之「自殘」，均將造成傷害，至為「殘忍」。小時讀書，不懂「風燭殘年」，只知是指人老了，而今已身已老，方盡其義，「殘年」一如「殘生」，所剩只有無奈與嘆息，徒留「少年不努力，老大徒傷悲。」之嘆也！「殘局」是象棋與圍棋的術語，指棋局已至最後，大勢已定，然尚未下完之局，今亦常用於形容事情變亂之後的「收拾殘局」等。棒球、壘球比賽中，單局進攻時，雖壘上有人，但局終無法得分者，稱「殘壘」。農作物常噴灑農藥，以致於蔬菜水果常「殘留」、「殘存」農藥，吃前必須澈底清洗。情分兩地時，讀「宋・范仲淹・御街行」：「殘燈明滅枕頭欹，諳盡孤眠滋味！」更增思念之情！

行楷

金文

小篆

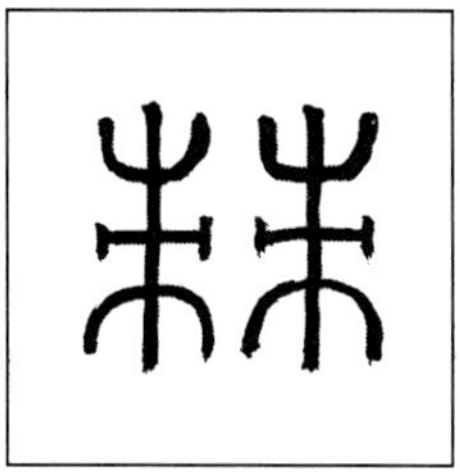

行書

金文：像兩株併排站立的酸棗樹，樹身長滿了刺，是個象形字。

小篆：由金文的象形，演變成小篆的字形，其義未變，仍指併排站立帶刺的棗樹。

棘：楷書：由小篆字形演變而來，如上下書寫，即成棗字。

棘之簡化字與繁體字相同。

◆古義

《說文》：「棘，小棗叢生者。」棘如棗而多刺，木堅色赤，叢生。「詩經・邶風・凱風」：「棘心夭夭，母氏劬勞。」「心」是酸棗樹的嫩芽，「夭夭」是茁壯貌，酸棗樹的嫩芽在成長茁壯，母親真是辛勞。故知「棘」之本義為「酸棗樹」。「棗」與「棘」之區別，「沈括」注曰：「棗棘皆有朿，棗獨生，高而少橫枝；棘列生，卑而成林，以此為別。」「本草綱目」：「棘即酸棘之小者。」由「刺」引申為凡草木有刺者，稱「荊棘」。「左傳・襄公・十四年」：「乃祖吾離被苫蓋、蒙荊棘以來歸我先君。」你祖父吾離身披白茅織的遮身物，頭戴荊棘編的帽子，來歸順我們先君。亦有道路梗阻，無路可行，如「遍地荊棘」、「荊棘叢生」等。「棘」亦通「急」。「詩經・小雅・采薇」：「豈不曰戒？玁狁孔棘。」怎敢不警戒？玁狁來犯，軍情緊急，亦通「戟」，「左傳・隱公・十一年」：「子都拔棘以逐之。」亦與「瘠」通。

◆今意

「棘」今多指有利的灌木，因其多刺而比喻艱難，如事情難辦稱「棘手」，很多人誤把「棘」當成「辣」，「棘手」說成「辣手」，那是鬧大笑話的，古之「棘人」是指瘦瘠之人，（棘通瘠），今者，居父母喪自稱為棘人」。古時聽訟於棘槐之下，「棘林」是指古之法庭，今已不常用之。古時「棘」與「戟」通，「棘門」即指「戟門」，古時顯貴人家常立戟於門，以示顯嚇。古之考試，試院圍牆皆插棘，故稱試院為「棘院」。皮膚表面多生堅棘的海產動物稱「棘皮動物」，如海膽、海參等。吾人不論何事，都要有「披荊斬棘」的精神，則無不成！

行楷

甲骨文

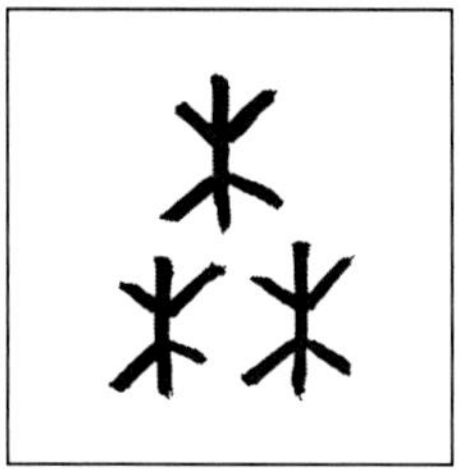

小篆

行書

甲骨文：二木成「林」，三木成「森」，由近處向遠處看，樹上有樹，是形容樹木很多之貌，是個會意字。

小篆：與甲骨文形義相同，是小篆的筆法。

森：楷書：由小篆直接轉為楷書筆法，仍有古義。

森之簡化字與繁體字相同。

◆古義

《說文》：「森，木多貌。」古之「木」即指樹，雙「木」成林，三「木」為森，「文選・潘岳・射雉賦」：「蕭森繁茂。」隱身以射雉，上則錯落孤竦如真木，下則枝葉茂密，故指錯落竦立之義。「杜甫」詩：「玉露凋傷楓樹林，巫山巫峽氣蕭森。」「蕭森」是指草木衰落的樣子，「森」亦「盛」也，眾物茂盛之義。「杜甫・蜀相」：「丞相祠堂何處尋？錦官城外柏森森。」丞相諸葛亮的祠堂要到那裡去找呢？原來就在成都錦官城外，那柏樹生長得很茂盛的地方。「森羅萬象」是宇宙間羅列於眼前的一切事物的現象。「陶弘景・茅山長沙館碑」：「萬象森羅，不離兩儀所育。」「兩儀」是天地，亦指陰陽，「森嚴」是嚴整貌，「森森」是樹高大茂密及陰沉可怕的樣子。

◆今意

「森」即樹木很多的樹林，樹林中之樹木枝葉茂盛，樹下有灌木及草木等植物蔓生，地面陰濕，苔蘚及菌類滋生者，稱為「森林」，有寒帶林、熱帶林、針葉林、闊葉林、自然森林與人造森林等，林中含有大量植物釋放出的芬多精，對人體極有助益，現代人非常喜歡到森林中走走、沐浴森林中，稱之謂「森林浴」。除此之外，「森林」尚具有蓄積水源，防止土石流及山坡滑動，調節氣候，提供林木等資除，人類不應隨意破壞，到大陸旅遊，常見「封山造林」標語，那是保護「森林資源」最佳措施！

行楷

甲骨文

金文

小篆

行書

甲骨文：是古代一種蒸食物的炊器，是「甑（音贈）」的本字，是個象形字。

金文：較甲骨文更像蒸器，下面多了一個底座，像是燒火的爐座。

小篆：由金文演變而來，由象形轉為文字化。

曾：楷書：由小篆字形轉換而來，隱約仍有古義。

曾之簡化字與繁體字相同。

◆古義

「曾」是「甑」的本字，是古代的蒸食器，有如今之蒸籠。後被借用為形容詞及副詞後，另造「甑」字以別之，如「漢書・范冉傳」：「甑塵釜魚。」甑裡的灰塵很厚，釜中無物，可以養魚了，意指窮無米炊之家也。《說文》：「曾，詞之舒也。」猶乃也、則也、竟也。「詩經・衛風・河廣」：「誰謂河廣？曾（音增）不容刀。」「刀」是古「舠」字，指小船，誰說黃河寬廣？竟然容不下一條小船。「論語・為政」：「有事，弟子服其勞，有酒食，先生饌，曾是以為孝乎？」「曾（音增）」是「難道」之義。當讀音為「層」時，是「嘗也」、「曾經也」，「民國・郁達夫・釣臺題壁」：「曾因酒醉鞭名馬，生怕情多累美人。」這是詩人郁達夫的名句。「曾」亦通「層」，崑崙山最上之級稱「曾城」。亦通「增」。「孟子・告子」：「曾益其所不能。」即「增益」也。

◆今意

「曾」亦有進一層的意思，如「曾祖父」、「曾孫」等。除了姓之外，則常用「曾經」、「未經」，我很喜歡「唐・元稹・離思」：「曾經滄海難為水，除却巫山不是雲。」曾經經歷過大海的人，對其他地方的水是看不起眼的，曾看過巫山的雲，其他的雲朵都不值一看，此是元稹對妻子的迷戀和思念，沒有任何人可以取代！現代很多人常誤解這兩句詩的真意，尤其把誤入歧途者說成「曾經滄海難為水」，謬也！現在的戀人或夫妻能有元稹的專情癡情，才是一輩子的幸福吧！

行楷

甲骨文

金文

小篆

行書

甲骨文：上面是個蠶的頭形，下面是蠶的身體，是蛾蝶類的幼蟲，是個象形字。

金文：由甲骨文演變而來，頭下加了蟲形。

小篆：由金文演變而來，是小篆的筆法。

蜀：楷書：由小篆字形轉換而來，仍有古義。

蜀之簡化字與繁體字相同。

◆古義

《說文》：「蜀，葵中蠶也。」生於蔬類植物，屬蛾蝶類之幼蟲，俗稱「野蠶」，與絲蠶相異。「淮南子說林訓」：「蠶與蜀（野蠶）狀相類而愛憎異也。」形狀相似，但性與食相異也。「蜀」即「蠋」，「詩經．豳風．東山」：「蜎蜎者蠋，烝在桑野。」「蜎蜎」是蠕動，「烝」指「眾」，蠕動的野蠶，都爬在原野的桑樹上。「詩詁」：「蜀本從虫，又加虫，俗字也。」「蜀」亦「獨」也。「爾雅．釋山」：「獨者．蜀。」「蜀」指孤峰獨秀之山。故山之孤獨者曰「蜀」。亦國名、有名者為三國時劉備在此建國。亦為四川省之別稱，約東周貞定王（西元前四六五年）時期，四川西都之首領名「蠶叢」，因蠶之象形字是「蜀」，故自稱「蜀王」，後被秦所併，並設蜀郡，三國時劉備曾在成都稱帝，史稱「蜀漢」，「蜀」即成為四川省之簡稱也！稱旅居外地的蜀人為「蜀客」，「蜀客」亦海棠的別名。產於蜀地之花椒稱「蜀椒」，亦名川椒，產於秦者稱「秦椒」。「爾雅．釋畜」：「雞，大者蜀。」蜀入稱大雞為「蜀」。

◆今意

「蜀」之本義至今已失，引申為「孤獨」者幾已不用，而多專指「蜀地」矣！「唐．李白．蜀道難」：「蜀道之難難於上青天，使人聽此凋朱顏。」蜀道之難行，比登天還難！「唐．白居易．長恨歌」：「蜀江水碧蜀山青，聖主朝朝暮暮情。」蜀江蜀山皆俊美，但卻「對此如何不淚垂！」寫書法時，我喜歡將這兩句改寫為「蜀江水碧蜀山青，遊子朝暮思鄉情！」雖隔千山萬水，書罷亦能聊釋思懷！蜀地一年四季，非陰即雨，太陽甚少露臉，每見日出，羣犬皆吠，吠所怪也，此即「蜀犬吠日」之成語，比喻少見多怪之義，「蜀繡」是四川的刺繡品，繡工精美，是中國四大名繡之一！

行楷

甲骨文

金文

小篆

行書

甲骨文：上半部是個「林」，下半部是個大蚌殼之形，上古之時以大蚌殼作農具，以之從事耕作，是個會意字。

金文：上部中間是「田」，左右兩邊是兩隻手在忙著幹活，下部變成「辰」，仍指農具。

小篆：由金文演變而來，下部為「辰」更加明顯。

農：楷書：由小篆演變而來，上部變「曲」，已無古義。

农：之簡化字：農夫穿蓑衣，以「衣」之草書筆法加「蓑肩」簡化之。

◆古義

《說文》：「農，耕也，種也。」耕種之事曰「農」，「漢書・食貨志：「闢土植穀曰農。」開墾土地・播種五穀謂之農。「商君書・墾令」：「民不賤農，則國安不殆。」百姓如不鄙視農業，則國家將會安寧，沒有危險。故知農之本義為「耕種作物。」亦引申為農人，「論語・子路」：「樊遲請學稼，子曰：吾不如老農。」樊遲要向孔子學習種植五穀的事，孔子說：耕種之事我不如種田的老農夫。「元・施耐庵・水滸傳第十五回」：「農夫心內如湯煮，公子王孫把扇搖。」夏日太陽熾熱，央苗枯焦，農夫內心痛苦，王孫公子卻在納涼享福。古炎帝教民植穀，故號「神農氏」，謂神其農業也。亦引申為「田畯」，古之先教田者，田神也，亦指「田大夫」，古典農之官也！亦「努力」也，「左傳・襄公・十三年」：「君子尚能而讓其下，小人農力以事其上。」君子崇尚賢能而禮讓下屬，下位者努力事奉上位者。

◆今意

古代以農立國，百姓勤於農事則安居樂業，國家有稅收則國富兵強。「唐・李紳・憫農詩」：「春種一粒粟，秋收萬顆子，四海無閑田，農夫猶餓死。」如過分剝削，農民再辛苦耕耘，也會餓死。是故政府要重視農民的生活與生計，並於民國三十年訂定每年立春為「農民節」，其後更訂每年陽曆二月四日為「農民節」。近年出現了些「假農民」，目的在炒地皮，有些假「農舍」之名卻蓋了豪宅，「真農民」情何以堪？民間參考二十四節氣所使用的曆法稱「農曆」。經過「農田水利」的灌溉，「農作物」豐收，「農產品」可「內給外銷」，提昇經濟能力，增加外匯存底，貢獻至大也！

行楷

金文

小篆

行書

金文：左上方是一個「木」形，上有兩個小點，代表火光，木下有一隻手形「又」，將火舉起，

右上為「刀」，表聲，下為「口」，合為「召」字，亦表聲，是個會意兼形聲字。

小篆：左邊變成「日」、「火」，日有「日光」，夜有「火光」，更為明亮，右仍為「召」。

照：楷書：將「火」移到下方變成四點水，仍符古義。

照之簡化字與繁體字相同。

◆古義

《說文》：「照，本作昭。」原是小篆的寫法，楷書改為「照」，光明所及也。「禮記・中庸」：日月所照，霜露所隊。」「隊」與「墜」通，日月所照耀之處，霜露所降落的地方。「尚書・泰誓」：「惟我文考若日月之照臨，光於四方。」先父文王的德政有如日月照臨，光輝普照四方。「詩經・小雅・小明」：「明明上天，照臨下土。」光明的上天，光耀的照著大地。故知「照」之本義為「照耀」。引申為日月之光，「唐・李白・把酒問月」：「今人不見古時月，今月曾經照古人。」「唐王維・酬張少府」：「松風吹解帶，山月照彈琴。」以鏡自鑑曰「照」。「唐・溫庭筠・菩薩蠻」：「照花前後鏡，花面交相映。」亦引申為「比照」、「對照」。「後漢書・馮勤傳」：「忠臣孝子覽照前世，以為鏡誡。」

◆今意

「照」為「照耀」之本義至今未變，而其引申義意更為寬廣，如表示憑證的「證照」、「執照」、「護照」、「牌照」等。用於像片的「玉照」、「近照」、「生活照」、「照相機」、「照像紙」等。「依照」以前的樣子不做改變的「照例」、「照常」、「照舊」，有歇後語「外甥打燈籠，照舅。」即「照舊」之義。亦有關懷、看顧的「照看」、「照應」、「照顧」、「照拂」、「照料」等，亦用於通知的「照會」、「關照」、「知照」等，我常對人說：「再強烈的太陽光，也有照射不到的角落，再偉大的人，也有顧不周全的地方。」所以別埋怨別人沒「照顧」好您，一切還得靠自己努力！無怨無悔照顧您的只有母親，因為母親慈愛的光輝永遠照耀您家門窗！

行楷

金文

小篆

行書

金文：上半部是個「自」，表示「鼻子」，下半部是個「辛」，表示一把刑刀，以刀割鼻是對犯罪者的酷刑，是個會意字。

小篆：由金文演變而來，形義均同。

罪：楷書：上端的「自」變成「网」部的「罒」，小篆有寫成「[illegible]」，為非作歹而落網之義，下部刑刀變「非」。

罪之簡化字與繁體字相同。

◆古義

「罪」的本字是「辠」，因「辠」與「皇」極為相似，「辠」是反義字，秦始皇避諱而廢之改為「罪」，由「罒（網）」與「非」組成，取犯罪落網之義。「玉篇」：「辠，古文罪字。」《說文》：「辠，犯法也，從辛從自，自古辠字言罪人，秦以辠似皇字，改為罪。」「辠」與「罪」經史互用，後則通用「罪」。「易經・解卦」：「君子以赦過宥罪。」君子應赦免小民的過錯，寬恕他們的罪行。「尚書・大禹謨」：「刑故無小，罪疑惟輕。」所犯過錯，不論多小，都要判刑，其罪有可輕可重之疑慮者，則從輕量刑。「荀子・王制」：「無功不賞，無罪不罰。」沒功勞者，不予獎賞，沒犯罪者，不予懲罰。「論語・公治長」：「雖在縲絏之中，非其罪也。」公冶長雖然坐過牢，却是被誣告的，他沒有犯罪。古之君王有擔當者，常下詔「罪己」，歸罪於己之謂，「左傳・莊公・十一年」：「禹・湯罪己，其與浡焉。」「浡」者，興也。

◆今意

「罪」之本義為有過錯的「罪犯」。亦即有「犯罪」行為的人，其「罪過」、「罪行」、「罪狀」、「罪名」，將由司法機關逐一審理「定罪」、「罪魁禍首」必然「罪加一等」，有些「罪人」「罪愆深重」，「罪大惡極」、「罪重如山」，處以極刑亦「罪有應得」，古時量刑已採從寬論定，從輕量刑，今之「無罪推定論」亦頗承古風！有的人犯了錯「死不認罪」，有的人屈打成招「認了罪」，一人犯錯，誅連九族是昏君的酷刑，「罪人不孥」刑不及妻子是開明的法律！今之「一罪一論」對遏止「犯罪」有其一定效果。人在苦難、剪熬中都是「受罪」，但有很多事却是「心甘情願活受罪」！自己「有罪」千萬別「怪罪」別人，寧可找機會「將功贖罪」，也別故入人罪」，否則「罪孽深重」矣！

行楷

甲骨文

金文

小篆

行書

甲骨文：像一個面朝右跪坐的人形，很明顯將膑蓋關節突出，是個會意字。

金文：上半部是兩根「竹」子，表形，下半部是個「即」，表聲，此时變成形聲字。

小篆：金文演變而來，其義相同。

節：楷書：由小篆字形演變而來，是楷書的筆法。

节：簡化字：上半部由「竹」頭簡化為「草」頭，下半部「卩」是「節」的古文寫法。

◆古義

「節」之本義是指人體之「關節」，金文之後以「竹節」泛指動植物之骨骼。《說文》：「節，竹節也。」亦竹約也，「段玉裁」注：「約，纏束也，竹節如纏束之狀。」故凡植物枝幹約束之處皆稱「節」。引申為「名節」，「荀子•君子」：「節者，死生此者也。攸關生死的名譽與節操謂之「名節」。一定的規距與法度稱「節」，「禮記•中庸」：「發而皆中節，謂之和。」「中節」是法度，感情的表達都能合於法度，就叫做和。亦「禮節」也，「禮記•文王世子」：「然而罪知長幼之節矣。」如此民眾即知長幼之間的禮節規範了！使者所執之信符謂之「符節」，奉王命往來，必「持節」以為信，亦「節制」也，「易經•序卦傳」：「節而信之。」有所節制，必能誠信待人。減省謂之節，「左傳•成公十八年」：「宥罪戾，節器用。」寬恕犯罪的人，節約開支費用。「時節」曰「節」，一年有二十四「節氣」。敲打以控制樂曲「節奏」之樂器亦謂之「節」。

◆今意

「節」之本義至今仍存，其引申義亦沿用至今，古時男重「氣節」，志氣和「節操」，「明•史可法•正氣歌」：「時窮節乃見，一一垂丹青。」女重貞節，夫死不嫁，堅貞「守節」，今者，有志氣之男子有之，沒有「節操」者亦有之，隨著思想觀念與社會風俗變遷，「貞節牌坊」已成歷史矣！「現在「卡拉ＯＫ」盛行，人人都喜歡高歌一曲，排排廢氣，但如在包廂裡、遊覽車上碰到五音不全又「節拍」不準的人，荒腔走板得您如坐針氈！小康家庭多半崇尚「節儉」、「節衣縮食」都為了孩子。一年有二十四個「節氣」，在當下工商社會裡關心的人不多，倒是一年裡的各個「節日」非常關心是否是連假？有無補假？政府亦常揆諸「情節」調整之。

行楷

金文

小篆

行書

金文：像一個人形，張大嘴巴，雙手捧著一顆心，在跟人訴說心中的愛，是個會意字。

小篆：把心放在胸腔裡，雙手變成「夊（音綏）」，指走路遲緩的樣子，滿腔愛意走向所愛的人，去訴說心中的愛情。

愛：楷書：由小篆演變而來，上面的「口」變成「爪」。

爱：簡化字：把「心」掏出來送人了，但「愛」字無心，以乎也有缺憾！

◆古義

《說文》：「㤅，小篆愛字。」「㤅」者，惠也，「禮記‧哀公問」：「古之為政，愛人為大。所以治愛人，禮為大。」古代施政，以愛人最為重大，要做到愛別人，應以施行禮治最為重大。亦親善也，「禮記‧三年問」：「有知之屬，莫不知愛其類。」有知覺的生物，沒有不知道愛護同類的。故知「愛」的本義為「疼愛」、「施惠」於人。孝親亦曰「愛」，「尚書‧伊訓」：「立愛惟親，立敬惟長。」樹立「愛心，要從親人開始，樹立尊敬，要從年長者開始。引申為「仁愛」，「易經‧繫辭」：「安土敦乎仁，故能愛。」能安於所處環境，敦厚施行仁義，就能博愛天下之人。「思慕」、「愛慕」亦曰「愛」。「詩經‧小雅‧隰桑」：「心乎愛矣，遐不謂矣？」「遐」通「何」，「謂」是告訴，心中「愛慕」他啊！為何不向他表白？亦引申為「愛惜」，「宋史‧岳飛傳」：「或問天下何時太平，飛曰：文臣不愛錢，武臣不惜死，天下太平矣。」

◆今意

胡適有句名言：「醉過方知酒濃，愛過才知情重。」「愛人」有四種意思：一、人與仁通，也就是「仁愛」，愛人而不存私心之謂。二、友愛他人，「論語‧學而」：「節用而愛人。」為政者應節約財用，愛護人民。三、現代戀愛中的男女互稱對方為「愛人」。四、已結婚的夫妻，給別人介紹自己的另一半時，稱「這是我的愛人」，大陸在前些年曾流行此種稱呼！戀人在婚前總是愛得死去活來，婚後還能互稱「愛人」，真不容易。我常受邀在婚禮中致詞，亦常解釋「愛」這個字是由「爪」、「胸」、「心」、「友」組成，用手爪將胸膛裡的心掏出來獻給朋友，就是「愛」，心能獻給朋友，當然更要獻給自己的另一半，如此何愁「愛河」不能永浴？但一定還要「愛屋及烏」、「愛他的家人」、「愛他所愛好的」、愛愛自久遠矣！

行楷

甲骨文

金文

小篆

行書

甲骨文：上半部是個羊頭的形像，下半部是個長柄三叉武器，在長柄武器上頂著一個羊頭，以顯威儀，是個象形字。

金文：上部仍為羊頭，下部的武器變成了「我」，「我」亦表聲，此時變成形聲字。

小篆：如同金文由「羊」、「我」組成，是小篆的筆法。

義：楷書：由小篆字形轉換而來，仍有古義。

义：簡化字：是「義」的簡體字，亦用作簡化字。

◆古義

《說文》：「義，己之威儀也，從我羊。」「義」是「儀」的本字，古時「義」通「儀」，樹立自己的威儀也，故知其本義為「威儀」。引申為「宜」也，「釋名」：「義，宜也，裁制事物使各宜也。」使其各自相宜不悖之謂。「孝經」：「夫孝，天之經也，地之義也。」亦善也。「詩經・大雅・文王」：「宣昭義問。」發揚光大美好的善行聲譽。亦「外」也，「孟子・告子」：「仁，內也，非外也；義，外也，非內也。」仁愛的心是從內心發出來的，事物的義理，都是從外面得來的，不是從裏面得來的。引申為非從己身所出曰「外」，如「義父母」、「義兄弟」、「義子女」、「義盔甲」、「義肢」、「義齒」等。「義」之矩度謂「義方」，「左傳・隱公・三年」：「臣聞愛子，教之以義方。」我聽說如愛護兒子，就教育他走正道。「義」亦為「俄」之借字，蓋因古時「俄」、「義」同聲。「義」亦與「誼」、「宜」同。

◆今意

憲法規定人民有納稅、服兵役、愛教育等義務，人民不納稅，國家無法支撐，年滿二十歲就要服兵役，保國衛民是男性國民的天職，兒童年滿六歲，要接受九年國民義務教育。醫生義務給人治病，不收取任何費用稱「義診」，演藝人員因公益不收酬勞的表演稱「義演」，將賣東西的所得全部捐作公益稱「義賣」。現在醫藥發達，人們也懂得保養，退休後身體狀況多半良好，大家都熱心公益投入「義工」行列，既可打發時間，又可幫助別人，更能吸收新知，退休生涯愈益充實！「義父」、「義兄」、「義子」等現在多半叫「乾爹」、「乾哥」、「乾兒子」，口語化了些！「羊有跪乳之恩，烏有反哺之義」，為人子女孝順父母是「天經地義」！

行楷

金文

小篆

行書

金文：右邊是個「攴（音撲）」，執鞭撲打之義表形，左邊是「尃（音夫）」表聲，是個形聲字。

小篆：左邊變成手形，以手撲打之義，右邊仍是「尃」，表聲。

搏：楷書：由小篆字形轉換而來。

搏之簡化字與繁體字相同。

◆古義

《說文》：「搏，索持也。」以繩索捕執之義。「禮記・月令」：「孟秋之月，慎罪邪，務搏執。」孟秋七月，要戒慎有犯罪惡等行為，如有罪邪，則務必逮捕之。「周禮・夏官・環人」：「搏諜賊。」逮捕那當細作的賊人。故知「搏」之本義為「逮捕」、「拘捕」。引申為「攫取」，「史記・李斯傳」：「鑠金百鎰，盜跖不搏。」「鎰」是古衡名，一鎰等於二十四兩，「盜跖」是春秋時魯國的大盜，冶鍊黃金百鎰，盜賊不予攫取。亦引申為「手擊」、「搏鬥」，「左傳・僖公・二十八年」：「晉侯夢與楚子搏。晉文公夜裡作夢與楚成王搏鬥。「搏手」是指兩手相搏，無計可施，語出「後漢書・龐參傳」：「田疇不能墾闢，禾稼不得收入，搏手困窮，無望來秋。」不能墾地種糧，不能秋收冬藏，只能互搏雙手，徒呼負負。「搏影」是指搏人之影子，不可得也，語出「史記・主父偃傳」：「夫匈奴之性，獸聚而鳥散，從之如搏影。」

◆今意

「搏」之本義為「逮捕」、「拘捕」，今已不用，多用於以手打擊的「搏擊」、「搏戰」、「搏命」等。「搏牛之虻」語出「史記・項羽紀」：「夫搏牛之虻，不可以破蟣蝨。」「虻」形似蒼蠅而體積較大，寄生牛身，故稱「牛虻」，虻大蝨小，打虻不及於蝨，今則以之喻「志在大而不在小」。今已不見有「徒手搏虎」者，但仍常喻人胆識過人，有「搏虎之勇」！「搏取」原指以力捕足獲取，今則由「動」轉「靜」，如「搏取芳心」、「搏君一粲」等。戰爭時，兩軍彈盡或近身對陣，則上刺刀作肉搏戰，戰爭是慘烈的、殘忍的！現在有些演出或為成名、或為生活、或為刺激，常做「搏命演出」，一旦失手，則成千古恨事，雖云：「志得其所」，宜乎！

行楷

甲骨文

金文

小篆

行書

甲骨文：像一把長柄斧鉞，左邊是面朝左的斧刃，中間兩小點是鏤空之處，右邊是長長的斧柄，是個象形字。

金文：由甲骨文演變而來，上下兩個鏤空變成兩個「止」字，天地之進行一次為「一歲」。

小篆：由金文演變而來，其義相同。

歲：楷書：由小篆字形演變而來，仍有天地運行之古義。

岁：簡化字：「⿱山二」、「岁」是「歲」的簡體字，「⿱山戈」是「歲」的俗字，今大陸以「岁」為簡化字。

◆古義

「歲」本義為「長柄斧」，後被「斧鉞」代替，遂假借為兩止（天地）運行一次為一歲，亦即一年。「易經・繫辭」：「寒往則暑來，暑往則寒來，寒暑相推而歲成焉。」寒來暑往，四季推移，年歲因而形成。夏朝時，稱年為「歲」，蓋取歲星運行一次之謂，歲星即木星，歲行一次為一年，十二次為一周天，「禮記・王制」：「用民之力，歲不過三日。」國家徵召百姓勞役，一年之中不得超過三天。「唐・劉希夷・代白頭吟」：「年年歲歲花相似，歲歲年年人不同。」每年花開得都相似，但賞花的人卻年年不同，嘆年華老去，青春易逝！故「歲」亦指年齡，「史記・秦始皇本紀」：「年十三歲，莊襄王死，政代為秦王。」又穀之成熟曰「歲」。「左傳・哀公十六年」：「國人望君如望歲焉。」「歲」指年穀，收成也。

◆今意

小時候寫作文，常用「時光飛逝，歲月如流。」作開場白，中間再引「論語・子罕」：「歲寒，然後知松柏之後凋也。」以提高文筆水準。文末以「松、竹、梅歲寒三友」為「交友必以忠貞、誠信」做結論，因而常得高分。青年時期，多愁善感，讀「唐・李頎・題盧五舊居」：「憶君淚落東流水，歲歲花開知為誰？」常熱淚盈眶，今是地球村時代，電子通訊無遠弗屆，一通電話，即可舒懷！倒是「天增歲月人增壽。」隨著年華老去，各個年齡層各有感概不同，至今「歲」仍指「年」，國家一年中的總收支稱「歲入」、「歲出」，過年的吉祥話仍用「年年如意，歲歲平安」。

行楷

甲骨文

小篆

行書

甲骨文：中間是個「日」，四周有四個短橫，表示光圈，太陽光穿過大氣層時，因折射而產生的現象，是個象形字。

小篆：上為「日」，下為「暈輪」，暈輪中間是個「車」字，表聲，此時變成形聲字。

暈：楷書：由小篆字形演變而來，古義已失。

晕：簡化字：下半部的「車」以行草筆法簡化之。

◆古義

《說文》：「暈，日月氣也。」太陽與月亮周圍的氣體，經光線照射所產生的現象。「玉篇」：「暈，日月旁氣也。」「韓非子・備內」：「日月暈圍於外。」太陽與月亮周圍有大圈氣體圍繞於外。故知「暈」之本義為「日暈」、「月暈」。引申為燈大之外焰亦稱「暈」。「韓愈」詩：「夢覺燈生暈。」作夢醒來，兩眼昏花，看見燈大四周有濛濛的氣暈。因「模糊」引申為「眩」，視覺不明而產生頭昏目眩之迷亂現象。「陸龜蒙」詩：「看花雖眼暈，見酒忘肺渴。」「肺」指五臟六腑，看花雖然老眼昏花，眼暈模糊，但看見酒卻忘了飢餓。

◆今意

「暈」的讀音有三種：一、讀（氳）：暈倒，強跑馬拉松，體力不支，暈了過去。事情一多，常失條理，忙得暈頭轉向，頭昏腦脹。熱戀或失戀的男女，常會被愛情沖暈了頭！作奸犯科、損人不利己的人，常鬼迷心竅，被利慾薰心沖暈了頭。二、讀（運）：太陽與月亮周圍因氣體而產生的光圈，稱「日暈」、「月暈」。婦女生產過後，有失血的病症稱「血暈」。當動詞時之「暈車」、「暈船」、「暈機」等。三、讀（印）：身體的某部分受到撞擊，但沒傷口，撞處呈現紅暈色，稱「血暈」。另「眩暈」是現代的醫學名詞！

行楷

甲骨文

小篆

行書

甲骨文：下半部是個大盛水的大澡盆，上半部是個面朝左彎腰洗澡的人，旁邊四個小點是水滴，字形與「浴」字相同，洗澡必用溫水，是個會意字。

小篆：左邊是水形，右邊上方是人在器皿裡洗澡，下方像加熱的底座，更有溫水之義。

溫：楷書：由小篆字形演變而來，仍有古義。

温：簡化字：是楷書「溫」的俗字，今亦用於簡化字。

◆古義

「溫」之本義是「洗溫水澡」，因與「浴」字重義，故引申為「煖」，「煖」與「暖」同，如「煖和」、「煖壽」等。「王充・論衡・寒溫」：「夫近水則寒，近火則溫。」「溫」者和也，「詩經・邶風・燕燕」：「終溫且惠，淑慎其身。」既溫和又恭順，為人謹慎而善良。性純亦曰溫，「詩經・秦風・小戎」：「言念君子，溫其如玉。」我思念夫君，他性情溫和有如美玉。「禮記・曲禮」：「凡為人子之禮：冬溫而夏清，昏定而晨省。」「清（音靜）」是降溫涼冷，按照禮的規定，做兒女的要使父母冬天保暖禦寒，夏天清涼消暑，晚上鋪床安枕，清晨省視問安。「溫溫」是柔順之義，「詩經・大雅・抑」：「溫溫恭人，維德之基。」溫和柔順而又謙恭之人，是修養德行的根基。

◆今意

每讀「溫」字，必會想起「論語・為政」：「溫故而知新，可以為師也。」溫習已學過的知識，而能從中悟知新的知識，才能做別人的老師。今人能認真讀完一本書已屬不易，遑論再讀一遍，以求溫故知新！「溫」字的另外聯想就是「論語・學而」：「夫子溫、良、恭、儉、讓以得之。」一國之君見到孔子溫和善良、恭敬、儉約、謙讓的態度，都主動前來請益。孔子是讀書人，是教育家，如治國仍謹守「溫、良、恭、儉、讓」的分際，缺少了霸氣，則國將難治。現代人開始有節能減碳思維，不讓大氣中的二氧化碳含量過高，使地球溫度升高，造成溫室效應！現代女生天再冷都穿得少。「只要風度，不要溫度。」故而容易感冒！

行楷

甲骨文

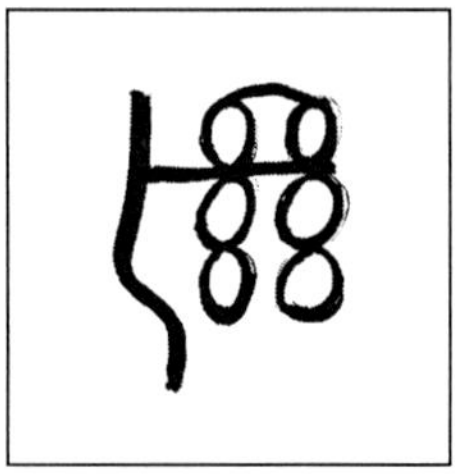

金文

小篆

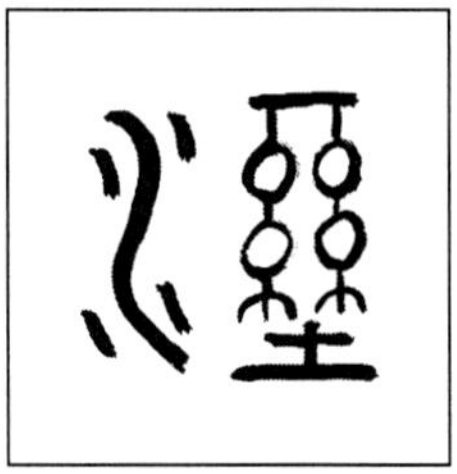

行書

甲骨文：右邊是兩串絲形，左邊是水形，蠶繭必須用水煮，始能將絲抽去，是個會意字。

金文：左邊更像水形，右邊在兩串絲的下方加「土」字，表示土溼。

小篆：由金文演變而來，形義相同。

溼：楷書：由小篆字形演變而來，筆法減化了許多。

湿：簡化字：由「溼」的俗字「濕」簡化而來。

◆古義

「溼」之本義應為「煮繭抽絲」，繭須以水浸溼煮之，始能抽絲。金文以後加了「土」字，表示土地、環境等的「潮溼」。「濕」原為水名，亦名沙河，在河北省境內，後人誤用為「乾、溼」之溼，遂以訛傳訛，今者，以「溼」為正體，「濕」為俗寫，兩字同義通用。《說文》：「濕，幽溼也。」不見陽光，陰暗潮溼之謂。「爾雅‧釋地」：「下溼曰隰。」地勢低窪而潮溼者稱「隰（音息）。」「幽溼」是「乾燥」的對義詞。引申為「沾水曰溼」，「北史‧王世充傳」：「兵既度水，衣皆霑溼。」士兵渡河而過，衣服都沾水而溼了。淚痕亦曰「溼」。「唐‧李白‧怨情」：「但見淚痕溼，不知心恨誰？」「溼」亦古時中原地區之方言，表示「憂愁」之義，諸如「悒鬱不得志」或「得而復失」皆稱「溼」。失而憂也！

◆今意

「溼」與「濕」二字至今仍通用，但應知「溼」為正體，「濕」為俗寫。多用於「潮溼」，尤以近海靠河地區，空氣中水份太多，衣物建築等常易泛潮，食物容易發霉，建物則易腐爛，牆壁的「壁癌」因而產生。現在環保意識提高，為了保護禽鳥類棲息，常禁止「溼地」濫開濫墾，甚或新闢「溼地」，以使回歸自然。土地沒水不「溼潤」就種不出莊稼，人的生活就成問題，但人體皮膚要起「溼疹」，關節要有「風溼」，那就得看醫生啦！另佛家有「胎生」「卵生」、「化生」、「溼生」四生之說，「溼生」指蚊蟲等是由溼氣而衍生的！

行楷

甲骨文

古文

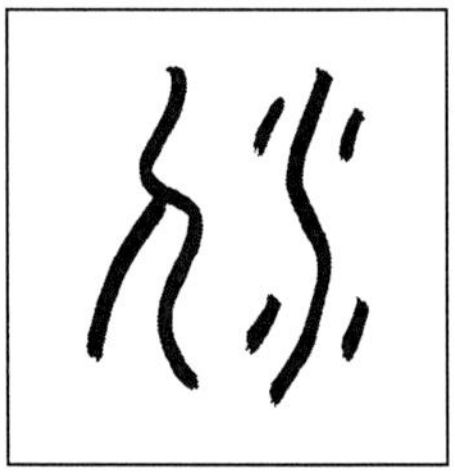

小篆

行書

甲骨文：左邊是個人，右邊是河流的水形，人沉沒於水中，是個會意字。

古文：是「溺」的古文字，與甲骨文義同。

小篆：形與義與甲骨文相同。

溺：楷書：是「㲻」的假借字，後人用於「沉沒」時，均以「溺」代「㲻」。

溺之簡化字與繁體字相同。

◆古義

《說文》：「溺（休），沒也，從水從人。」沉溺、沒入水裡之謂。「禮記・緇衣」：「小人溺於水，君子溺於口，大人溺於民，皆在其所褻也。」「小人」是指一般民眾，民間或農村亦指「小孩」，與今之用法不同。「君子」指士大夫，「大人」則指「天子」、「諸侯」。「褻（音謝）」是「狎近」、「親暱」。一般民眾喜愛水，便容易淹死在水裡，士大夫喜歡高談闊論，便會陷溺於言談中，公侯將相喜歡遷就民風，便易陷溺於風潮中，都因過於親暱而失戒心也！故知「休」是「溺」的古文，「溺」本為水名，後假借用於「沉溺」而代替「休」字。引申為沉湎貪戀其中曰「溺」，「禮記・樂記」：「今君之所好者，其溺音乎？」現在您所喜好的，大概是沉湎於無節制的音吧！「溺」之另一讀音為「尿」，與「尿」同義。「史記・范睢蔡澤列傳」：「賓客飲者醉，更溺睢」。賓客都喝醉了，輪流向范睢身上撒尿。

◆今意

「溺於水」之本義至今仍用之，而今「便溺（音尿）」是指大小便，在落後的城市常見「不可隨地便溺」之警語。每當讀到「溺」字，便會想起「孟子・離婁」的一段話：「男女授受不親，禮也；嫂溺援之以手者，權也。」「權」者，權宜之舉措也，變通的方法也，但不可違法，現在很多父母或爺爺奶奶過於寵愛獨子獨孫，有求必應，無所不允，要知道「愛之適足以害之！」「溺愛」是會造成傷害的。不如把這種愛推而廣之，發揮「人飢己飢、人溺己溺」的精神，尤以居上位者為甚，則藜民有福，蒼生有幸！「溺職」是不稱職不盡職。「溺」是個負面用字，不是「沉沒」、「沉迷」，就是「過分」，當讚美別人時，切勿訛用此字！

行楷

甲骨文

古文

小篆

行書

甲骨文：左邊是一個豎起的矮几之形，右邊是一塊肉形，上方有三個小點，表示鮮肉之血滴，是個會意字。

古文：三滴鮮血變成水形，不見肉形。

小篆：由古文演變而來，水上又增加了「肉」形。

漿：楷書：由小篆字形演變而來。

簡化字：「浆」：是楷書的簡體字，今用於簡化字。

◆古義

《說文》：「漿，酢漿也，一曰水米汁相將也。」米加水磨出之液體稱「漿」，俗稱「米漿」。「詩經・小雅・大東」：「或以其酒，不以其漿。」有人喝酒喝得爛醉，有人卻連米漿都喝不到。「漿人」是官名。「周禮・天官・漿人」：「掌共（供）王之六飲：水、漿、醴、涼、醫、酏。」故知「漿」乃君王六飲之一，極為重要。「漿」亦是一種帶有酸味的飲料，故引申為「酒」的一種。「史記・魏公子列傳」：「薛公藏於賣漿家。」薛公藏匿在賣酒的家裡。「孟子・梁惠王下」：「以萬乘之國，伐萬乘之國，簞食壺漿，以迎王師。」「漢代桓寬（鹽鐵論・伐功）」：「民思之若旱之望雨，簞食壺漿，以迎王師。」「簞食壺漿」是以竹籃盛飯菜，以瓦壺盛湯水，迎接王師。後遂引為犒勞軍隊之辭。

◆今意

今對物體裡的汁液或與水相合而成的液體，均可稱「漿」，如「果漿」、「血漿」、「米漿」、「豆漿」等。現代的營養觀念認為。豆漿裡含有豐富的蛋白質，對身體極有助益。我常告訴朋友：「早晨一杯漿，永保您健康。」「漿糊」是水和粉的調和物，早期多用於黏貼紙類等，今則多以膠水替代。早期衣褲有用「漿水洗法」，俗稱「漿衣服」，俟衣褲涼乾後熨之，極為平挺美觀。另用於建築之「泥漿」、「灰漿」等，今稱「三合土」或「水泥」等。

行楷

金文

小篆

行書

金文：像一顆落葉喬木的漆樹，樹幹高大，中有四個小點，表示滴下的汁液，是個象形字。

小篆：左邊加了水旁，表示流下的漆汁，右邊是字形化的漆樹。

漆：楷書：由小篆字形演變而來，仍有漆書流汁之古義。

漆之簡化字與繁體字相同。

◆古義

《說文》：「漆，木汁……如水滴而下也。」「漆」是落葉喬木，屬「漆樹科」，樹皮內含豐富樹脂，氧化後變成黑色，可供髹物之用，多產於皖、浙、鄂、湘、冀、魯等地。「尚書‧禹貢」：「厥貢漆絲，厥篚織文。」「篚（音匪）」是圖形的盛物竹器，「織文」是錦綢，兗州這個地方的貢物是漆和絲，還有用竹篚裝的錦綢。「孔傳」：「地宜漆林，又宜桑蠶。」我們老祖宗使用這種天然汁液為「漆」，已有數千年歷史，「詩經‧鄘風‧定之方中」：「樹之榛栗，椅桐梓漆。」四周種上榛樹、栗樹，還有椅、桐、梓、漆等樹。引申為以「漆」髹物曰「漆」，「髹」是以漆塗器物。「史記‧刺客傳」：「豫讓又漆身為厲，吞炭為啞，使形狀不可知。」另黑色亦稱「漆（音去）」如晒得漆黑。「漆」亦水名，「漆水」源出陝西省。

◆今意

「漆」可用於名詞，如「油漆」、「調和漆」、「塑膠漆」等；可用於動詞，如「漆門窗」、「漆桌椅」等；亦可用於形容詞，如「停電了，屋內漆（音去）黑。」「夜無星月，路上漆（音去）黑。」現在汽車、飛機、家電等用品多用「烤漆」，較傳統的方法更為精緻美觀！古之豫讓漆身吞炭，今則不必那麼慘烈，施之以易容術即可完全改觀矣！古人喜以漆作畫，將彩色混入漆中，以畫人像為主，為浮世繪之一，時稱「漆畫」，以漆在竹簡上寫文章稱「書」，今均已少用。古之日用品、藝術品等均以漆塗之稱「漆器」，今則多用不鏽鋼製品，「漆器」亦更顯珍貴！

行楷

金文

小篆

行書

金文：右邊是個「頁」，表示人的頭部，左邊是個「石」，表聲，一個人的頭部很大，是個會兼形聲字。

小篆：與金文形義相同。

碩：楷書：由小篆字形轉換而來，仍有古義。

硕：簡化字：「頁」字以行書筆法簡化之。

◆古義

《說文》：「頁，頭也。碩，頭大也。」「爾雅・釋詁」：「碩，大也。」其本義為「大頭」，引申為物體凡大之稱。「詩經・魏風・碩鼠」：「碩鼠碩鼠，無食我黍。」大老鼠啊、大老鼠啊，不要來吃我種的黍糧。「詩經・陳風・澤陂」：「有美一人，碩大且卷。」「卷」是俊美貌，有位俊美的人，身材高大，儀表非凡。「左傳・桓公・六年」：「博碩肥腯，謂民力之普存也。」「博」與「碩」均指大，「腯（音突）」指獸類肥壯，牲畜又大又肥，這是指百姓普遍富有。「易經・蹇卦」：「往蹇來碩。」前行必生艱險，返回靜守可建大功。「碩人」則指美人，「詩經・衛風・碩人」：「碩人其頎，衣錦褧衣。」「碩人」指衛莊公夫人莊姜，「頎（音其）」是身材修長，美人的身材那麼修長，錦衣外面罩著麻紗單衣。「碩」與「石」通，「碩交」即「石交」。

◆今意

「碩」為「大」之引申義至今不變。古之「碩人」指美人、隱士、有大德之人或命婦的封號，今則多已不用，「碩士」古指學問淵博之士，今則多指學士以上的學位。學問淵博的賢者稱「碩彥」、「碩儒」，眾望所歸的賢者稱「碩望」，年高博學的老者稱「碩老」，德高望重的老者稱「碩德」。「碩大無朋」是指物之大而無與之倫比者，「碩果僅存」是指經過淬礪、磨鍊而留存下來極其珍稀的人或物。現在最常見的是追悼會上「碩德長存」的輓聯或花圈，古人要取得「碩士」的頭銜，必需學富五車，今之國內外學士學位，讀完一車書恐已足也，或有人質疑「古車」非比「今車」，姑且以牛車計，敢問閣下書讀幾牛車？

行楷

甲骨文

金文

小篆

行書

甲骨文：字形像一個纏繞蠶絲的架子，中間是個轉柄，由絲牽動而自轉，下面的架子纏滿了絲線，是纏絲的架子，是個象形字。

金文：由甲骨文演變而來，更像個纏絲架。

小篆：由金文演變而來，兩形相似。

爾：楷書：與小篆相同，是楷書的筆法。

尔：簡化字：是楷書的簡體字，今用於簡化字。

古義

「爾」之本義是指「纏絲架」，因蠶絲纏滿整個架子，有華盛之貌，故引申為「華盛」、「繁盛」，「詩經・小雅・采薇」：「彼爾維何？維常之華。」「常」指「棠棣」，那盛開的花是什麼花啊？是棠棣開的花。亦借用為代詞，「玉篇」：「爾，汝也。」「尚書・大禹謨」：「爾尚一乃心力，其克有勳。」希望你們共心協力，如此則可建立功勳。亦「如此」也，「禮記・檀弓」：「夫子何善爾也？」夫子為何如此稱讚呢？亦「然」也，「論語・子罕」：「既竭吾才，如有所立卓爾。」竭盡我的才能努力用功，倒也卓然自立。亦用於語助詞，「禮記・檀弓」：「爾毋從從爾！爾毋扈扈爾！」語始之「爾」為「汝」，語末之「爾」為語助詞。「爾曹」即「汝輩」，「爾日」即「是日」，「爾時」指「是時」，亦通「邇」，「爾來」與「邇來」同。亦同「矣」，「公羊傳・宣公・十五年」：「盡此不勝，將去而歸爾。」亦同「乎」，「公羊傳・隱公・元年」：「然則何言爾？」

今意

「爾」之「纏絲架」及「華盛」等義今已不存而多用於文言文中的代詞或語助詞，如「爾等」、「爾曹」、「我虞爾詐」等，「爾父」、「爾兄」是「你的父親」、「你的哥哥」。「爾時」、「爾處」是指「那個時候」、「那個地方」。「不過爾爾是「不過如此」之義。「爾來」是指「近來」，「爾後」是指「以後」，「爾雅」是十三經之一，「文章爾雅」、「溫文爾雅」則是精緻文雅的意思。亦用於形容詞或副詞之後，表示「地」、「然」，如「偶爾」、「率爾」、「果爾」。現在白話文則多用「你」、「你們」、「這裡」、「這樣」、「那裡」、「如此」、「此時」、「此後」、「近來」等。文章中偶用「爾」字可提昇文筆深度，亦可提高文中趣味性！

行楷

甲骨文

金文

小篆

行書

甲骨文：左邊是一隻眼睛（臣），右邊是一把長柄的戈，古代往往將戰俘的眼睛刺瞎一隻，

使之為奴，是個會意字。

金文：左邊變成了「爿（音牆）」，表聲，右邊變成「戈」字，以「戈」刺臉口，此時變成

會意兼形聲字。

小篆：由金文演變而來，口又變成了眼睛（臣）。

臧：楷書：由小篆字形轉換而來。

臧之簡化字與繁體字相同。

◆古義

「臧」之本義為「奴隸」，方言曰：「荊、淮、海岱之間，罵奴曰臧，罵婢曰獲，燕、齊亡奴謂之臧，亡婢謂之獲。」「漢書•司馬遷傳」注引晉灼曰：「臧獲，敗敵所被虜獲為奴隸者。」打敗敵人，虜獲之俘虜均淪為奴隸。因敗敵而百姓安定，天下太平，故引申為「善」，《說文》：「臧，善也。」「爾雅•釋詁」：「臧，善也。」「詩經•鄘風•載馳」：「視爾不臧，我思不遠？」看你們的見識不是很好，我的思慮難道不周密深遠？「詩經•邶風•雄雉」：「不忮不求，何用不臧？」「忮（音志）」是「害」、「嫉妒」。「求」是「貪求」，不害人、不貪求，什麼事辦不好呢？「易經•師卦」：「師出以律，否臧凶。」「律」是軍隊的紀律，「否（音痞）臧」指不善，出師必須軍紀嚴明，紀律不良善，必招凶險，「臧」古與「藏」、「臟」同。

◆今意

「臧」通「藏」時「唸ㄘㄤˊ」，「收藏」之義，「管子•侈靡」：「天子臧珠玉，諸侯金石。」「臧」通「臟」時「唸ㄗㄤˋ」，「內臟」之義，「漢書•王吉傳」：「吸新吐故以練臧。」吸收新鮮空氣，吐掉廢氣，使內臟強壯。「臧」之本義已失，今多用於「善」，其反義字為「否」，即「惡」也！故常用「臧否」作批評與褒貶，如「臧否人物」即指批評褒貶他人的善惡得失。另「臧」亦指贊同，「否」是反對，「臧否」即「可否」之義，如詢問別人意見之「未知吾兄臧否？尚祈不吝賜告！「臧污」是指官吏受贓貪污，「臧穀亡羊」語出「莊子•駢拇」：「臧與穀二人相與牧羊而俱亡其羊。」兩人同時放羊，亦同時發生同樣的錯誤，卻分辨不清誰該負責？

行楷

金文

小篆

行書

金文：左邊是個「壴」，即「鼓」，擊鼓而慶，表形，右邊是個「加」，是讚美、表揚之義，亦表聲，「加」是「嘉」的本字，是個會意兼形聲字。

小篆：變成上「壴」下「加」的直寫，是小篆的筆法。

嘉：楷書：由小篆字形轉換而來，仍有古義。

嘉之簡化字與繁體字相同。

◆古義

《說文》：「嘉，美也。」「爾雅．釋詁」：「嘉，美也。」「詩經．大雅．烝民」：「仲山甫之德，柔嘉維則。」樊國國君仲山甫的品德，以溫和美善為準則。「尚書．大禹謨」：「嘉言罔攸伏。」「罔」是「無」，「攸」指「所」，「伏」乃「埋沒」也，好的言論不會被埋沒。「左傳．襄公．四年」：「鹿鳴，君所以嘉寡君也，敢不拜嘉？」鹿鳴是晉君用以嘉獎我們國君的，我怎敢不拜謝嘉獎？故知「嘉」之本義為「讚美」、「表揚」。亦有「福」、「美滿」之義，「詩經．豳風．東山」：「其新孔嘉，其舊如之何？她剛新婚很美滿，時間久了不知會變得怎麼樣？亦「樂」也，「禮記．禮運」：「君與夫人交献，以嘉魂魄。」主人與夫人相互交替進献，務必使神明和祖先高興快樂。亦通「假」，「詩經．大雅．假樂」：「假樂君子，顯顯令德。」「君子」是指周成王，多美好、多快樂，周成王啊！您的美德多麼顯赫！無瑕之玉稱「嘉玉」，穗大而美的稻子稱「嘉禾」。

◆今意

「嘉」之「讚美」、「表揚」的本義迄今未變，「嘉禾」除指美穗外，常用於動章或徽章等的圖案，花紋等。美好的匹配稱「嘉耦」或「嘉偶」，今多用「佳偶」。好話或可為座右銘的稱「嘉言」，對表現傑出者應給予「嘉勉」、「嘉許」、「嘉尚」、「嘉獎」。耶穌復活節前四十天的長齋稱「四旬齋」，天主教國家在長齋前三天到七天之間所舉行的狂歡節稱「嘉年華會」。來得恰到好處的及時雨稱「嘉澍」。對來賓尊稱「嘉賓」。好的思維與計謀稱「嘉謀」。「嘉陵江」發源於陝西鳳縣嘉陵谷，是四川省四大河流之一，遊長江三峽多在重慶嘉陵江岸登船。「嘉南大圳」對台灣「嘉南平原」的農作物起到極大的灌溉作用。

行楷

金文

小篆

行書

金文：上半部是一個老者，表形，下半部是「𠷎(疇)」，表聲，年老長壽之義，是個會意兼形聲字。

小篆：由金文演變而來，下方多了個「口」，表示年老仍能吃食也。

壽：楷書：由小篆字形演變而來，已無老人古義。

寿：簡化字：是「壽」的簡體字，亦用於簡化字。

◆古義

《說文》：「壽，久也，凡年齒皆曰壽。」「詩經・大雅・江漢」：「作召公考，天子萬壽。」鑄造紀念召康公的銅器，並鐫刻祝天子萬壽無疆。「左傳・僖公三十二年」：「爾何知？中壽，爾墓之木拱矣！」秦穆公派人對蹇叔說：你懂什麼？如果你活到百歲死了，你墓上的樹也有兩手相拱那麼粗了。古者，上壽百二十年中，中壽百歲，下壽八十。另「莊子・盜跖」：「中壽八十。」「淮南子・原道」：「中壽七十。」「呂氏春秋，安死」：「中壽不過六十。」「論語・雍也」：「仁者壽。」有仁者之心，必增年壽。「前漢・王吉傳」：「心有堯舜之志，則體有松喬之壽。」「詩經・秦風・終南」：「佩玉將將，壽考不亡。」「將」音「槍」，佩玉瑲瑲作響，祝他長壽，永不死亡，以金帛相贈亦曰「壽」，「史記・聶政傳」：「嚴仲子奉黃金百鎰為聶政母壽。」

◆今意

常聽見的一句「祝壽」詞「福如東海，壽比南山」，語出「詩經・小雅・天保」：「如月之恆，如日之升，如南山之壽。」祝賀他人壽命可與終南山相比。「壽倒三松」亦是祝人高壽之祝語，「壽公壽婆坐壽堂，兒孫依序奉壽觴。」是闔家歡樂的經典畫面。「夭壽」指命不長，是「長壽」的對義詞。人終究不能像終南山般「長壽」，「壽終正寢」時，總會獻上「福壽全歸」四字哀悼！生前為自己預先做好的墓穴稱「壽穴」。因為人的生命終有盡頭，為未雨綢繆，許多人投保「壽險」，於是「人壽保險公司」如雨後春筍，很多人亦投保多家公司「壽險」、「意外險」等。「壽頭壽腦」是罵人傻氣的話，不能隨便亂用！

行楷

甲骨文

金文

小篆

行書

甲骨文：外面四個角各有一隻手，中間是一個玉片之形，一個人用一雙手將玉片交給另一個人，是個會意字。

金文：上面的手形變成「爪」形，中間的「玉片」變成「与」字，表聲，此時變成會意兼形聲字。

小篆：由金文演變而來，形義相同。

與：楷書：由小篆字形演變而來，已無手形。

与：簡化字：是「與」的簡體字，今用於簡化字。

◆古義

「與」之本義為「賜予」、「給與」。「孟子・離婁」：「可以與，可以無與，與，傷惠。」給與別人財物要符合中道，如果太踰越分寸，則有傷德惠。亦「善也」、「對待」也。「禮記・禮運」：「諸侯以禮相與，大夫以法相序。」諸侯們互相以禮相待，大夫們以率先守法而使秩序井然。亦「等待」也，「論語・陽貨」：「日月逝矣，歲不我與！」時光飛逝，歲月是不等人的啦！亦指「同類」、「同伴」、「黨與」，「宋・張載・西銘」：「民吾同胞；物，吾與也。」民胞物與也，視人民如同胞，視動物如同類之謂。亦「及」也，「和」也，「論語・子罕」：「子罕言利，與命、與仁。」孔子很少談到利字，如要談必和天命以及仁道一起談。亦「許」也、「從」也，「論語・先進」：「夫子喟然歎曰：吾與點也！」亦有「以」、「於」義。「詩經・召南・江有汜」：「之子歸，不我與。」他要回去了，卻不帶上我一起走。亦「參與（音玉）」也！亦通「舉」、「豫」、「歟（音于）」等。

◆今意

「與」之用途極廣，「給（音及）與」是拿東西給別人，現在當名詞用時則指「薪給」、「待遇」。幼年時，讀「與虎謀皮」的成語，尚不能深解其義，只希望能多讀點書，學問能「與日俱增」、「與眾不同」。中年時，一心只想「與人為善」、「與人方便」、羞「與噲為伍」。漸漸地，看盡人情冷暖，世態炎涼，遂不願「與世浮沉」、「與世偃仰」而退休，從此「與世無爭」、「與古為徒」。不亦灑脫！至於古通「歟」，作語末助詞的感歎、疑問、反詰等義者在今之白話文中已不用了！

行楷

甲骨文

金文

小篆

行書

甲骨文：左邊是個口，右邊是隻鳥，頭部朝左，用口在叫著，鳥鳴之謂，是個會意字。

金文：仍是口與鳥的組合，其義未變。

小篆：與金文相似，形與義不變。

鳴：楷書：由小篆字形轉換而來，古義仍存。

簡化字：「鸣」：依行書筆法簡化而來。

◆古義

《說文》：「鳴，鳥聲也。」鳥叫之聲謂「鳴」。「詩經‧大雅‧卷阿」：「鳳凰鳴矣，于彼高岡。」鳳凰合鳴，在那高高的山崗上。「詩經‧邶風‧匏有苦葉」：「雝雝鳴雁，旭日始旦。」「雝雝（音雍）」是聲音和諧，「雁」是像鵝的水鳥，飛行有序，相次而行。雁兒飛行，和諧相鳴，此時太陽緩緩升起，天色漸漸明亮。故知「鳴」之本義為「鳥鳴」，引申為「鳥獸」叫聲皆曰「鳴」，「管輅別傳」：「鳥獸之音曰鳴。」進而引申為凡發聲皆曰「鳴」，「禮記‧學記」：「善待問者如撞鐘，叩之以小者則小鳴，叩之以大者則大鳴。」善於回答問題的人有如撞鐘，輕撞則聲音小，重撞則聲音大。因委屈而舒發亦謂之「鳴」，「韓愈‧送孟郊序」：「大凡物不得其平則鳴。」不平則「鳴」也。聲譽、名望著稱於時亦曰「鳴」，如「以詩文鳴於時」，「以賢德鳴於時」、「豐功偉蹟，傳鳴後世」等。

◆今意

「鳴」自甲骨文至楷書，其形其義從未改變，在漢字中實屬罕見。由初始之鳥叫，擴大為獸叫，如「馬鳴」、「鹿鳴」；打雷的「雷鳴」，古代戰爭「鳴金收兵」的「金鳴」，人受委屈要申訴的「不平則鳴」，表達感謝的「鳴謝」，夫妻感情融洽的「琴瑟和鳴」，包含了人、物、禽、獸與大自然等所發之聲皆謂「鳴」。「鳳」是神鳥、靈鳥，「鳴鳳」即表珍貴之義，如讚美女子儀態優雅，聰穎賢淑稱「鳴鳳之質」，誇獎別人文章寫得好稱「鳴鳳之章」，國家興盛，國運昌隆稱「鳴鳳之世」等。古有「鳴琴而治」之說，即以道德感化百姓，治理國家，今則罕見！倒是今之婚禮上仍常見以「琴瑟和鳴」祝福新人永浴愛河、白頭到老！高興聽到的是喜事或婚禮中的「鳴炮」，做壞事的人最怕聽到警察「鳴笛」。

行楷

甲骨文

金文

小篆

行書

甲骨文：中間是面朝左的鳳頭，頭上有美麗的羽冠，頭下是長爪和漂亮的鳳尾羽毛，是個象形字。

金文：由甲骨文演變而來，省略了鳳頭、鳳身、及鳳冠，僅以漂亮的尾表示。

小篆：上部是個凡字，表聲，甲骨文中亦有在右上角加「凡」字的寫法，中間是個鳥字。

鳳：楷書：由小篆字形演變而來。

凤：簡化字：是楷書的簡體字，今亦用於簡化字。

◆古義

《說文》：「鳳，神鳥也。」「爾雅•釋鳥」：「鶠，鳳；其雌，皇。」「鶠（音演）」是鳳的別名，「皇」亦作「凰」，指雌鳳，鶠亦稱「鳳」，是傳說中的鳥王，雌的鳳稱作凰。「孔演圖」：「鳳非梧桐不棲，非竹實不食，非醴泉不飲，身備五色，鳴中五音，有道則見，飛則羣鳥從之。」「尚書•稷益」：「簫韶九成，鳳皇來儀。」「簫韶」是舜時的樂曲名，韶樂變化演奏了九曲之後，扮演鳳凰的舞隊，雙雙對對跳起舞來。「禮記•禮運」：「鳳以為畜，故鳥不獝。」「獝（音序）」指因受驚而飛走，鳳被畜養，鳥類便不會驚慌飛走。「左傳•莊公•二十二年」：「鳳凰于飛，和鳴鏘鏘。」鳳凰相伴而飛，相和而鳴，比喻夫妻相親相愛。「鳳闕」、「鳳閣」均指帝王所居的官闕。「五代•李煜•破陣子」：「鳳閣龍樓連霄漢，玉樹瓊枝作煙蘿。」

◆今意

鳳是古之神鳥，是百鳥之王，古人詩中多有引喻，「唐•李白•登金陵鳳凰臺」：「鳳凰臺上鳳凰遊，鳳去臺空江自流。」「漢•司馬相如，鳳求凰」：「鳳兮鳳兮歸故鄉，遨遊四海求其凰。」比喻男子追求女子。「宋•李清照•鳳凰臺上憶吹簫」的詞中，我最喜歡「生怕離懷別苦，多少事，欲說還休。新來瘦，非干病酒，不是悲秋。」天下父母心都是「望子成龍，望女成鳳。」兒子能中狀元，女兒能戴「鳳冠霞帔」，能如願者，「鳳毛麟角」也，成龍成鳳後都飛得遠遠的，不會陪在您身旁，牽您的手過馬路的啦！其實只要兒女們的婚姻美滿，夫妻能「鳳凰于飛」，則已足夠，何必一定要「成龍成鳳」？

行楷

甲骨文

金文

小篆

行書

甲骨文：是一個「口」，口裡有四顆門牙，上下各兩顆，是個象形字。

金文：上面是「止」，表聲，下面是「𠚕」，表形，此時變成形聲字。

小篆：由金文演變而來，是小篆的筆法。

齒：楷書：由小篆字形演變而來，仍有古義。

齿：簡化字：口內牙齒以一顆代表簡化之。

◆古義

「顏師古急就篇註」：「齒者，總謂口中之骨，主齰齧者也。」「齰（音澤）齧（音聶）」是用牙齒咬。《說文》：「齒，口斷骨也。」「字彙」：「上曰齒，下曰牙。」「齒」之本義為「門牙」，後有上者為「齒」，下者為「牙」，今者總稱「牙齒」，「齒」有長落，故引申為「年齡」。「禮記·文王世子」：「古者謂年齡，齒亦齡也。」文王對武王說：古人稱年紀為年齡，而「齒」就是「齡」的意思。「左傳·昭公·二十年」：「子之齒長矣，不能事人。」您的年齡大了，不能再侍奉別人。「齯齒」亦壽也，「齯（音尼）」是老人脫齒後新長之細齒，是謂壽也！亦引申為「列」、「相次」也，「左傳·隱公·十一年」：「寡人若朝于薛，不敢與諸任齒。」魯隱公說：我如到薛國去朝見薛君，不敢和諸位任姓諸侯並列爭先也。依馬之牙齒，可論量其歲，「齒錄」是指收錄、錄用。亦「觸」也，「及」也，說起、提及之謂，如「齒及」、「掛齒」等。

◆今意

「齒」泛指「牙齒」，並無「上齒下牙」之分，現在大部分人喜歡吃甜食，又不注重口腔衛生，都有蛀牙或牙周病，以致於「張牙科」、「李齒科」、「鑲牙補齒科」四處林立，且無分「上齒下牙」，一律照看！。「馬齒」是看馬之齒以推其齡，今人則多用於對自己年齡的謙稱。如「馬齒徒增，一無所成！」「脣亡齒寒」是比喻休戚相關，「齒亡舌存」是指強硬的先亡，柔弱的仍存，「不齒」現多用於負面，指為人太壞，讓人「不齒」，說都懶得說他了，很多人誤作「不恥」，不宜也！「齒冷」是指譏笑，因張口而笑，時間久了，牙齒即覺寒冷，常用「令人齒冷」以表不屑也！

行楷

金文

小篆

行書

金文：上半部左右是兩個木，表示木樁，中間像編織成的籬笆形狀，下半部是一雙手，用雙手編織籬笆，是個會意字。

小篆：除了上半部中間變成兩個㐅形，餘均同。

樊：楷書：由小篆字形演變而來，下半部的雙手之形變成了大字。

樊之簡化字與繁體字相同。

◆古義

「樊」之本義為「籬笆」。「詩經・小雅・青蠅」：「營營青蠅，止于樊。」「營營」是蒼蠅飛舞之聲，「青蠅」即「蒼蠅」，「樊」指「籬笆」，蒼蠅嗡嗡亂飛，停在籬笆上面。「籬笆」即「藩籬」，引申為「樊籠」，《說文》：「樊，鷙不行也。」「鷙（音志）」是凶猛的鳥，困於籠中不得出也。「徐錯」曰：「鷙猶縶也，鷹隼之屬，見籠不得出，以左右攀引於外也。」「縶（音執）」是繫馬之韁繩，義指套牢。「莊子・養生主」：「澤雉十步一啄，百步一飲，不蘄畜乎樊中。」「雉（音志）」是似雞的鳥，「蘄（音其）」與「祈」通。水澤裡的野雞，要走十步才能啄到一口食物，走百步才能喝到一口水，但並不祈求被畜養於籠中。亦引申為「紛雜」，「莊子・齊物論」：「仁義之端，是非之塗，樊然殽亂。」仁義的標準，是非的途徑，紛然錯亂。「樊」亦通鞶（音盤），指大的帶子。

◆今意

「藩籬」是用木柴、竹子編織的圍牆，有區隔與保護的作用，「樊籬」俗稱「籬巴」，除構造與義意相似外，另有受限制而不自由之義！「樊籠」是指鳥籠，比「樊籬」更受束縛，「晉・陶淵明・歸田園居」：「久在樊籠裡，復得返自然。」這「樊籠」是指世俗的牢籠，是無形的。「清・吳偉業・圓圓曲」：「早攜嬌鳥出樊籠，待得銀河幾時渡？」是有形的牢籠。今人與人之間的思想觀念不同，舉止行為相左，因而有隔閡，亦稱之「兩人有「樊籬」」，如不溝通化解，就變成「拒絕往來」户啦！

行楷

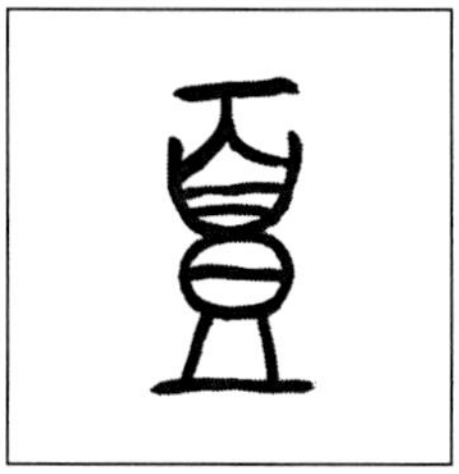
金文

小篆

行書

金文：上半部是個頁（頭），表形，下半部是個器皿（豆），表聲，是個形聲字。

小篆：「器皿」在左，「頁」在右，由金文的上下書寫變成左右書字。

頭：楷書：由小篆字形轉換而來，仍與古義相同。

头：簡化字：是楷書的簡體字，今用於簡化字。

◆古義

《說文》：「頭，首也。」頭顱也，指人體上面、動物最前面的部分。「禮記・玉藻」：「聲容靜，頭容直，氣容肅，立容德。」君子的舉止聲音要安詳平靜，頭要端正，氣概要嚴肅，站姿要挺直。故知「頭」之本義為「頭顱」。古者謂「一人為一頭」，動物亦然，故亦為計數之辭。「漢書・西域烏孫傳」：「馬、牛、羊、驢、槖駝，七十餘萬頭。」引申為「長」，行列之長為「行頭」，一族之長為「頭目」，團體中的首領也。亦用於詞尾助詞，如「宋・楊萬里」：「到得前頭山腳盡，堂堂溪水出前村。」「宋・范仲淹」：「後人收得休歡喜，還有收人在後頭。」「唐・李白」！「眼前有景道不得，崔顥題詩在上頭。」「唐・皇甫曾」：「相望知不見，終是屢回頭。」「唐・白居易」：「汴水流，泗水流，流到瓜州古渡頭。」「宋・朱熹」：「問渠那得清如許，為有源頭活水來。」「明・馮夢龍」：「屋漏更遭連夜雨，船遲又過打頭風。」以上所舉之「前頭」、「後頭」、「上頭」、「回頭」、「渡頭」、「源頭」、「打頭」等，其意各有不同，意境亦大相逕庭矣！

◆今意

「頭」之本義千古未變，至今用法更廣。彩券行前都是想中「頭獎」的買券人。企業經營者，在資金上都會有「調頭寸」的經驗。逢年過節或特定日，廟前都會擠滿「搶頭香」的人潮。搭乘飛機車船，一般老百姓坐經濟艙，有錢人坐「頭等艙」。貧寒人家女，都想「飛上枝頭變鳳凰」。「行頭」有兩義，一、行列之長稱「行（音航）頭」。二、演戲所所用之衣物稱「行（音形）頭」，亦指自己衣物的謔稱。「棒打出頭鳥，先獵領頭羊。」沒事兒別亂出「鋒頭」。亦用於謔語，如「你說的頭頭是道，人人叫好」，我却回以：「好你個頭！」

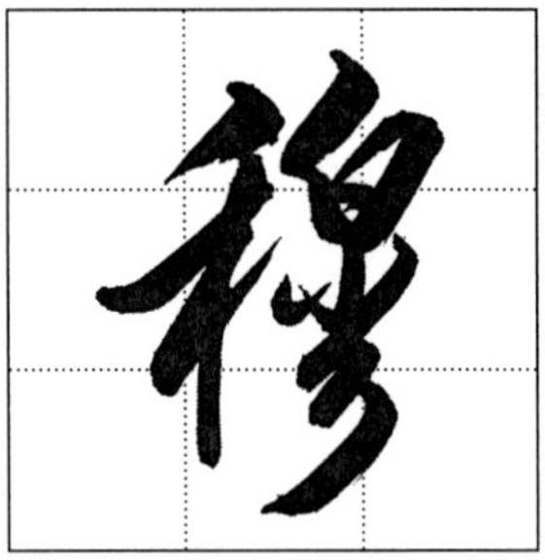

行楷

甲骨文

金文

小篆

行書

甲骨文：右邊是一顆禾稈，左上方是結實飽滿而下彎的禾穗，是個象形字。

金文：左邊結實中有一小點，表示飽滿，下方又多了三撇，表示成熟下垂之形。

小篆：由金文演變而來，「禾」字變到左邊。

穆：楷書：由小篆字形轉換而來，已不見古義。

穆之簡化字與繁體字相同。

◆古義

《說文》：「穆，禾也。」是指結實飽滿的莊稼，因豐收而引申為「美好」。「詩經・周頌・清廟」：「於穆清廟，肅雝顯相。」「肅雝（音雍）」是莊嚴和諧，「相」指助祭者，清靜的宗廟多麼美好，前來助祭的人多麼莊嚴和諧。「詩經・大雅・文王」：「穆穆文王，於緝熙敬止。」「於」是感嘆詞」，「緝熙」是光明的樣子，美好的文王啊！既光明而又恭敬！亦引申為「和諧」、「和美」、「詩經・大雅・烝民」：「吉甫作誦，穆如清風。」仲山甫銜周宣王之命，卦齊築城，尹吉甫作詩歌頌，和美得像春風一樣。亦「和睦」也，「三國志・魏書・荀彧傳」：「與夏侯尚不穆。」亦「和悅」也，「管子・君臣篇」：「穆君之色。」「穆」亦宗廟裡神位排列次序，左謂「昭」，右為「穆」。「穆（音默）」亦「默」也，默然靜思之貌。

◆今意

「穆如清風」是「詩經」裡的話，直到現在，我們形容「溫和」、「美好」仍引用之，亦可寫作「穆如春風」、「性情雍穆」等。「穆」亦「莊嚴」、「肅穆」之義，舉凡參觀展覽館、古蹟文物館，或紀念追思會、告別追悼會等場地，皆應心情莊嚴、表情肅穆，但大多數仍見嘻戲喧譁，尤以追悼會場外之情景為甚，此係何種心情？心態？吾未解也！「穆罕默德」是回教教祖，遵可蘭之旨以救世度人，其教義以祈禱、清潔、齋戒、布施等為功德。曾率其信徒征服何拉伯及敘利亞等國，現在稱信奉伊斯蘭教（回教）的信徒為「穆斯林」，此乃阿拉伯文音譯。

行楷

甲骨文

金文

小篆

行書

甲骨文：左右兩邊是兩把笤帚的形狀，中間兩小豎點是代表「水」，「笤帚」加「水」表示洗滌器皿之義，是個會意字。

金文：左邊變成水流之形，表形，右邊變成「翟」，表聲，此時變成形聲字。

小篆：與金文極為相似，是小篆的筆法。

濯：楷書：由小篆筆法轉換而來，仍有形聲字的古義。

濯之簡化字與繁體字相同。

◆古義

《說文》：「濯，澣也，從水、翟聲。」「澣（音緩）」同「浣」字。洗也，「詩經・大雅・泂酌」：「挹彼注茲，可以濯罍。」「罍（音壘）是盛酒器，舀取那邊的水灌進到這裡，可以用來洗滌酒器。「孟子・離婁」：「滄浪之水清兮，可以濯我纓，滄浪之水濁兮，可以濯我足。」「孔子曰」：「小子聽之：清斯濯纓；濁斯濯足矣。自取之也。」夫人必自侮，然後人侮之。這是我們非常熟悉的話，「滄浪」是水名，它的水清澈時，可以洗滌我帽纓，混濁時可以洗我的腳，孔子聽到後，就對弟子們說：這種分別都是由水自取而來的，是故人必定自己糟蹋自己，別人才敢欺侮你。亦引申為「大」。「詩經・大雅・常武」：「不測不克，濯征徐國。」不預測是否戰勝，大張旗鼓，討伐徐國。「爾雅・釋詁」：「濯，大也。」「濯濯」有「娛遊」、「肥澤」、「光明」、「山無草木」等義。

◆今意

「濯濯」現多用於「童山濯濯」以形容沒有草木的山，更多影射禿頭的人。聞此言者，常生不悦，故慎用之。語出「孟子・告子」：「牛羊又從而牧之，是以若彼濯濯也。」剛長出枝芽的草木，又被牛羊吃掉了，變成光禿禿的山了。「釋名・釋長幼」：「山無草木曰童，若童子未冠然。」故雖「童山濯濯」之人，年輕時亦曾鬢髮茂密，不宜取笑也！我很喜歡寫「振衣千仞岡，濯足萬里流。」的對聯，那種瀟灑開濶的胸襟，真令人通體舒暢，古之「濯」可用於洗手、洗腳、洗衣物器皿等，「滌」則多用於洗衣物器皿，令之「洗」字却包含所有去污除垢之清洗，為大眾所喜用，幾已取代「濯」、「滌」二字或以「洗濯」、「洗滌」其義更為明確！

行楷

金文

小篆

行書

金文：左邊是條河水形，右邊是個人形，上下有兩趾，表示靠近水邊，要用雙腳涉水而過，是個會意字。

小篆：由金文演變而來，左「川」加「趾」為「涉」，右邊的「人」變成「頁」，其義相同。

瀕：楷書：將小篆的「水」抽出放在右邊，餘則不變。

濒：簡化字：右邊的「頁」字以行草筆法簡化之。

◆古義

《說文》：「瀕，水厓，人所賓附頻蹙不前而止。」「厓」通「涯」，「水厓」即「水邊」。人到水邊欲過河，必先探試水的深度，不宜冒然涉之。「前漢・成帝紀」：「瀕河之郡。」靠近河川的城市。「漢書・嶲不疑傳」：「竊伏海瀕」。「海瀕」即指「海邊」。「漢書・賈山傳」：「瀕海之觀。」「瀕海」是「緣海邊」、「靠近海邊」之謂。「瀕河」、「瀕海」均指靠近水邊，故「瀕」之本義為「水邊」。「瀕」亦作「濱」、「頻」。「尚書・禹貢」：「厥土白墳，海濱廣斥。」「鄭玄」注：「斥謂地鹹鹵。」海和泰山之間的這片土地又白又肥，海邊有廣大的鹽鹹地。「詩經・大雅・召旻」：「池之竭矣，不云自頻」。「頻」通「濱」，池塘之水乾涸了，難道不是從池塘邊開始乾的嗎？「瀕」亦「將近」、「迫近」也！

◆今意

古時「瀕」與「濱」、「頻」通，今者，「瀕」、「濱」尚通，但已不與「頻」通。「瀕」、「濱」義雖有相同之處，但有些地方亦不能混用，如「濱海公路」、「濱海公園」、「濱海透天別墅」等就不能用「瀕」字。「瀕」亦另有「將近」、「面臨」等義，例如有些珍禽異獸「瀕臨絕種」，需要列為保護動物。「瀕行」是即將啓程。「瀕臨死亡」是人生即將走到盡頭。「瀕河」、「瀕海」處當住家是種不錯的選擇，缺點是太潮濕！

行楷

金文

小篆

行書

金文：像一個人形，人的頭上戴頂帽子，左邊是個手形，以手指帽，表示頭頂之義，是個會意字。

小篆：左邊變成「真」字，表聲，右邊是「頁」，表人形，此時變成會意兼形聲字。

顛：楷書：由小篆字形轉換而來。

颠：簡化字：右邊的「頁」以行草筆法簡化之。

◆古義

《說文》：「顛，頂也。」「顛」之本義為「頭頂」。「詩經・秦風・車鄰」：「有車鄰鄰，有馬白顛。」「鄰」通「轔」，車行聲，「白顛」是馬額頭上的白毛，馬車聲轔轔，名貴的馬兒，額頭上有白毛。引申為「頂部」。「詩經・唐風・采苓」：「采苓采苓，首陽之巔。」「巔」與「顛」同，「苓」是甘草，「首陽」是山名，在山西永齊，與伯夷叔齊餓死之「首陽山」名同地不同。採甘草、採甘草，在那首陽山的山頂。「晉・陶淵明・歸田園居」：「狗吠深巷中，雞鳴桑樹顛。」亦引申為「本」、「始」，如「顛末」即「本末」。亦「倒」也，「易經・鼎卦」：「鼎顛趾，利出否。」「顛趾」是將鼎足顛倒過來，「出否」是倒出廢物，將鼎足顛倒過來，倒出鼎中廢物，除舊布新必大利也。亦通「癲」，狂也，如「舉止癲狂」。亦通「闐（音田）」，「塞」也，「滿也」。如「賓客闐門」。

◆今意

成功的過程必定經過無數「顛沛」與「困苦顛連」，才能到達「顛峰」，被稱「頂尖的」，爬到「顛峰」的人要懂得急流勇退，因為後面都是走下坡的路！車行石子路上「顛簸」不平，現在都是柏油路面，平穩舒適！酒醉的人說酒話通常沒邏輯，顛三倒四，前言不對後語。有人沒喝酒，但却經常顛倒是非，胡說八道！「顛覆」是推翻原來的形式，常用於政權被推翻。顛撲不「破」則指理論正確，不能被推翻。現在「癲」、「顛」已不通用，如「瘋癲」寫成「瘋顛」是要被扣分的！年紀大了，行為失序，語言失常，又不聽勸，自以為是，被稱做「老番癲」，如寫成「老番顛」則不宜也！

行楷

金文

小篆

行書

金文：左上方是「日」，表示太陽，下方是在太陽下曬絲，右邊是個面朝左站立的人，在整理絲物，是個會意字。

小篆：由金文演變而來，右邊人形變成「頁」字。

顯：楷書：由小篆字形轉換而來，仍有曬絲之古義。

显：簡化字：「显」是楷書的簡體字，今用作簡化字。

◆古義

「顯」之本義為「曬絲」，在太陽下把成串的絲拿出來曬，太陽下曬絲，清晰明顯，故引申為「明顯」、「光顯」，「詩經・周頌・執競」：「不顯成康，上帝是皇。」「皇」是讚揚，成王和康王的功績難道不顯著嗎？連上帝都讚揚啦！「玉篇」：「顯・明也・著也。」「詩經・周頌・清廟」：「於穆清廟，肅雝顯相。」「穆」是美好，「肅雝（音雍）」指莊嚴和諧，「相」是參祭者，清靜的宗廟多美好啊！光明正直的參祭者多麼莊嚴和諧。頭上戴著亮麗的飾物亦曰「顯」，《說文》：「顯，頭明飾也。」亦引申為「達」，「富貴」，「孟子・離婁下」：「而未嘗有顯者來。」齊人之妻語其妾，從未見富貴顯達之人到家裡來。世稱亡父曰「顯考」、高祖亦曰「顯考」，亡母曰「顯妣」。「顯顯」是光明的樣子。

◆今意

至今「顯考」、「顯妣」仍常見於墓碑、祖宗牌位及訃文等，「顯」字目前常用於「明顯」、「顯著」、「顯赫」，如「善行至為明顯」，「功勳顯著」、「聲威顯赫」等。「顯名天下」、「顯姓揚名」是光耀門楣，名滿天下！「顯露頭角」是指有機會施展所長，顯露自己的才幹！「顯達」、「顯貴」都指官高權大或富貴有名望的人，很多人喜歡攀枝附幹，阿諛奉承，我則喜歡「陋室銘」：「談笑有鴻儒，往來無白丁」。不期有顯者來也！「顯影」是用藥液使照相底片顯出影像，這種化學藥液亦稱「顯影液」。造假說謊、作奸犯科者，一旦顯出原形，則事情就大條啦！

國家圖書館出版品預行編目(CIP)資料

漢字古義今意每日一字 . 第八輯 / 曾彬儒著 . -- 新北市 : 普林特印刷有限公司 , 2023.11
面；　公分
ISBN 978-626-98059-2-1(平裝)

1.CST: 中國文字

802.2　　112019464

漢字古義今意 每日一字【第八輯】

作　　者：曾彬儒

總 編 輯：林萬得
美術編輯：林萬得
發 行 人：曾彬儒
地　　址：新竹市武陵路 73 巷 60 號 2 樓
電　　話：0938-077478

出 版 者：普林特印刷有限公司
地　　址：新北市三重區忠孝路二段 38 巷 6 號
電　　話：（02）2984-5807
傳　　真：（02）2989-5849
網　　址：http://www.p1.com.tw

出版日期：2023 年 11 月
定　　價：新台幣 280 元

ISBN-13：978-626-98059-2-1